Поль С. Брэгг

СЕРДЦЕ

ПОСТРОЕНИЕ МОЩНОЙ НЕРВНОЙ СИСТЕМЫ

Москва — Санкт-Петербург

«ДИЛЯ»

2007

ББК 55.5
Б 87

Текст печатается по изданию:
«Позвоночник — ключ к здоровью».
Составление и перевод Попова Л. М., Соколов И. В. — СПб., 1994.

Поль С. Брэгг

Б 87   Сердце. Построение мощной нервной системы. — СПб.: «Издательство «ДИЛЯ», 2007. — 192 с.

Серия «Здоровье и долголетие»

ISBN 5-88503-062-6

Мы живем в век необычайно нервного напряжения, которое медленно, но верно подрывает все основы нашего существования. И если мы не предпримем определенных шагов СЕЙЧАС, чтобы преодолеть это зло, через несколько поколений человечество можем прийти к полному нервному краху.

ISBN 5-88503-062-6

СЕРДЦЕ

МОЯ ДЕЛОВАЯ ЖИЗНЬ

Будучи натуралистом, я объездил весь мир, обучая принципам здорового образа жизни тысячи людей. Каждый год я даю рекомендации по рациональному питанию семи тысячам человек. Среди моих учеников есть известные артисты оперы, балета, кино, радио и телевидения. Кроме того, я наблюдаю за громадными плантациями овощей и фруктов, выращенных без минеральных удобрений, а также руковожу исследовательскими работами по питанию растений, животных и человека. Мой рабочий день составляет в среднем 12 часов, но я не чувствую ни боли, ни усталости, ни возраста.

Я БЫЛ ХИЛЫМ РЕБЕНКОМ

Великолепное здоровье, которое доставляет мне большое удовольствие, приобретено с помощью методов, описанных в этой книге. Я родился на плантации в глубине штата Вирджиния, где занимались разведением табака и свиней. С момента рождения у меня было слабое сердце. Даже в современных больницах такие дети требуют очень внимательного ухода.

В течение первых четырнадцати месяцев шла постоянная борьба за мою жизнь. Я страдал сильными сердцебиениями. В восемь лет меня свалила ревматическая лихорадка, и я в течение 11 дней находился между жизнью и смертью. Слабое сердце не позволяло мне бегать и играть со своими здоровыми сверстниками. Вскоре стали развиваться другие болезни: синусит, астма, бронхит, а затем и туберкулез. Я провел несколько лет в санаториях, где меня приговорили к смерти. Казалось, не было надежды выжить.

ОТ ПАДЕНИЯ К ВЗЛЕТУ

Но где есть жизнь, там есть и надежда. Я очень хотел попасть в знаменитый санаторий доктора Роллье в Швейцарии, который использовал естественные методы лечения. Роллье прозвали доктором свежего воздуха, воды, солнца, физической активности, естественной пищи.

За короткий промежуток времени он сумел восстановить мой организм, и я начал свой путь к здоровью и силе.

В это время произошло еще одно важное событие. Я решил посвятить всю свою жизнь тому, чтобы помогать людям восстанавливать свое бесценное здоровье, как это сделал я. Да, именно на этот путь я решил направить свою энергию и жизнедеятельность.

В течение многих десятилетий я изучал методы восстановления здоровья естественными способами и передал свои знания многим тысячам людей во всем мире. Ряды моих последователей регулярно пополняются, и они свидетельствуют о почти невероятных случаях восстановления сердечной деятельности и организма в целом естественными методами.

Теперь я предлагаю вам эту программу жизни, основанную на знаниях естественных способов лечения, которая может сделать для вас то же, что сделала для меня.

САМЫЙ ЗАМЕЧАТЕЛЬНЫЙ МЕХАНИЗМ В МИРЕ — ЭТО ВАШЕ ТЕЛО

Представьте себе, что какой-то волшебник неожиданно подарил вам необыкновенную машину, которая может все делать самостоятельно — и двигаться, и ремонтироваться, и выполнять различные умственные и физические задачи. И продолжительность ее работы — 120 лет и даже больше. Будете ли вы беречь ее как зеницу ока? Конечно же, будете! Вы создадите ей такие условия, чтобы она работала как можно дольше и с максимальной эффективностью. И каждый день вы будете удивляться совершенству этой чудо-машины!

Теперь остановитесь и задумайтесь. Создатель подарил вам самую замечательную машину — ваше собственное тело. Эта чудо-машина имеет никогда не останавливающийся мотор (сердце), систему сгорания (пищеварительные органы), систему фильтрации (почки), мыслительный аппарат (мозг и нервная система), регулятор температуры (железы потовыделения) и т. д. Кроме того, это великолепное изобретение имеет способность к воспроизводству!

ДАЙТЕ ВОЗМОЖНОСТЬ ЭТОЙ МАШИНЕ РАБОТАТЬ ЭФФЕКТИВНО

Так как же надо заботиться о своем теле, пока вы здоровы? (Под заботой я подразумеваю не стремление побаловать себя, а определенную предусмотрительность, позволяющую выполнять современные требования жизни).

Многим людям очень повезло — они родились здоровыми. Но слишком часто они воспринимают этот бесценный дар как нечто само собой разумеющееся. Природа не всегда прощает беспечность. Можно испортить хороший автомобиль небрежным к нему отношением. То же самое можно сделать и со своим организмом.

Но до тех пор пока человек не знает, как функционирует его организм, он не сможет вовремя о нем позаботиться.

Большинство людей имеют превратное представление о физических процессах, протекающих в человеческом теле. В этой книге вы найдете ответы на вопросы, как работает организм, как на него действуют различные психические и эмоциональные факторы и что сделать, чтобы организм функционировал в полную силу.

ПРИЧИНА СЕРДЕЧНЫХ ПРИСТУПОВ

Сегодня очень много говорят о том, что желание жить со скоростью «миля в минуту» вызывает сердечные приступы. И такие слова, как напряжение, стресс, используются в качестве оправдания увеличения смертельных исходов при сердечных приступах.

Однако причиной сердечных приступов является закупорка кровеносных сосудов. Эта болезнь подкрадывается незаметно: на стенках сосудов накапливаются отложения и «ржавчина», а вы начинаете ощущать это, когда становится уже поздно. Часто задают вопрос, как узнать, в каком состоянии находятся сосуды?

В некоторых частях тела, например в ногах, уменьшение снабжения кровью мышц может вызвать локализованное чувство боли. Но в самом сердце нет нервных окончаний, которые сигнализировали бы об этом.

Вот почему многие слабохарактерные люди, которые едят все подряд, совсем не заботясь о своем здоровье, говорят, что они в прекрасной форме. Но когда случается сердечный приступ, считают ли они причиной этого свои слабости? О нет! Всему виной бывает напряженная работа или стресс.

Давайте подробнее рассмотрим, что такое напряженная работа, стресс, нервное напряжение. С незапамятных времен человечество живет под ужасным гнетом различных обстоятельств. Ясно одно: жизнь — это сплошной стресс. Жить — значит все 24 часа испытывать давление со всех сторон. Человек, каким мы его знаем, никогда не живет спокойной жизнью.

СТРЕССЫ У НАШИХ ПРЕДКОВ

Наши предки жили в таком напряжении, которого мы сейчас не выдержали бы. Первобытный человек в любой момент мог стать добычей диких животных, которые охотились на него, чтобы убить и съесть. На него охотились также свои же собратья. Племена и даже семьи находились в постоянной вражде друг с другом. Ветер, дождь, снег — все это создавало ужасные напряжения... Человек должен был уцелеть, когда на него обрушивались могущественные силы природы — бури, землетрясения, наводнения, ураганы, эпидемии, голод. Так что стресс, напряжение — в этом нет ничего нового для человечества.

Я уверен, что человек может противостоять самым тяжелым испытаниям, которым жизнь подвергает его, если у него сильное тело и живой ум. Это и есть естественный отбор.

Болезни сердца — не обязательный спутник стрессов и напряжений, которые сопровождают жизнь современного человека. Наши предки находились в этом отношении в более тяжелых условиях. Но они были суровыми людьми, активными физически и умственно. Секрет их выносливости заключается в добротной, натуральной пище и высокой физической активности.

СЕКРЕТ ВЫЖИВАНИЯ

Как было в древности, так должно быть и сегодня. Имея сильное, крепкое тело, вы сможете противостоять всем жизненным трудностям. Здоровье, сила, выносливость, запас жизненных сил и энергии — вот ваше оружие против стрессов и жизненных невзгод.

Давайте смотреть фактам в лицо. Ведь мы живем сегодня в жестоком, преступном, грубом, бесчувственном мире. И горе слабым!

Самосохранение — первый закон жизни. Именно об этом моя книга. Вы, живущие на земле, вы должны быть бодрыми и здоровыми, чтобы вести битву за нормальную, приносящую радость жизнь.

Богаты вы или бедны, боритесь за свое здоровье, употребляя натуральную пищу и проявляя физическую активность.

НЕ ПРЕНЕБРЕГАЙТЕ ЗДОРОВЬЕМ РАДИ БОГАТСТВА

Сколько существует на свете невежественных людей, которые в течение 15—20 лет сидят и «делают деньги», а когда их настигает сердечный приступ или какое-либо другое заболевание, они говорят: «Я работал так напряженно. Все мои болезни от стрессов...»

Ерунда! Если бы эти люди уделяли достаточно внимания своему организму, то могли бы и зарабатывать деньги, и радоваться своему великолепному здоровью.

Сколько раз мы слышали, как богатые люди говорят: «Я бы отдал за здоровье все свое богатство». Но если бы они проявили хоть немного благоразумия и имели бы здравый смысл, то радовались бы и тому и другому. Все, что им необходимо, это элементарные знания о строении тела и здравый смысл. Человек должен знать функции своего организма, служащие сохранению здоровья, и уметь удержать себя от различных злоупотреблений.

Большинство людей тратят годы, чтобы сделать карьеру, но не хотят потратить и пяти минут, чтобы узнать, что можно и чего нельзя делать для совершенствования своего тела. Здоровье — это основа долгой и благополучной жизни.

КАК ВОССТАНОВИТЬ СВОЕ ЗДОРОВЬЕ

> Человеческий организм имеет одну способность, которой не обладает машина,— способность восстанавливаться.
>
> *Е. Крайль*

Одно из самых замечательных свойств человеческого организма — способность восстанавливаться. Если вы, например, порежетесь, то вскоре новая ткань заменит поврежденные клетки и рана заживет. Если у вас перелом кости, то она срастется и станет еще крепче, чем прежде. Любая полученная травма сравнительно быстро заживает, если вы хоть немного об этом позаботитесь.

Менее очевиден вред, который вы наносите организму в течение многих лет, ведя неправильный образ жизни. Однако организм может достаточно хорошо восстановиться после долгого пренебрежительного к нему отношения, если вы не пожалеете времени и усилий.

Однако не ожидайте мгновенного чуда. Вам потребовалось много времени, чтобы разрушить свой организм, поэтому нужно время и на его восстановление.

ЛУЧШЕ ПРЕДУПРЕДИТЬ БОЛЕЗНЬ, ЧЕМ ПОТОМ ЛЕЧИТЬ ЕЕ

Живя по принципам питания естественными продуктами и физической активности, мы идем по дороге здоровья и долгой жизни. Большинство людей ничего не делают, чтобы предупредить болезни. В программе естественной жизни я покажу вам систему предупредительных мер для сохранения здоровья. У вас может быть нестареющее, здоровое сердце в любом возрасте!

Вы можете начать сегодня не только восстановление нормальной сердечной деятельности, но и начать совершенствовать свое тело.

Мы получаем большую часть энергии из употребляемой пищи, в которой запасена солнечная энергия. Поэтому здоровая пища является самым важным аспектом сохранения здоровья.

Следующим фактором, на который следует обратить внимание, является циркуляция крови по огромной кровеносной системе тела. Хорошее кровообращение достигается регулярной физической активностью.

Результаты будут зависеть от усилий, которые вы вложите в эту работу. Наградой могут быть здоровое сердце и тело, которые выдержат любые стрессы. С улыбкой вы будете встречать все самое плохое, что жизнь может преподнести вам.

СЕРДЕЧНЫЙ ПРИСТУП – УБИЙЦА № 1

Заболевания сердца и кровеносной системы уносят в США ежегодно более одного миллиона жизней. Это больше, чем все остальные заболевания, вместе взятые! Кроме того, они – основные разрушители здоровья. В США более 22 миллионов человек всех возрастов страдают заболеваниями сердца и кровеносной системы. Те, кто пережил один сердечный приступ, живут в постоянном страхе в ожидании другого. Можно ручаться, что большинство американских мужчин (92 миллиона живущих сегодня) умрут от сердечных заболеваний, если не начнут жить по системе предупредительных мер.

Результаты клинических исследований, представленные Американской ассоциацией сердечных заболеваний, показывают, что каждый человек может иметь здоровое сердце благодаря правильному питанию и физической активности. К несчастью, эти данные не вызвали значительного освещения и интереса в печати. Только сенсации и бедствия удостаиваются больших заголовков.

ЗДОРОВЬЕ – ЭТО ВАШЕ БОГАТСТВО

Здоровье, подобно свободе и миру, существует до тех пор, пока прилагаются усилия для его сохранения, а это зависит исключительно от вас. Или вы наслаждаетесь здоровьем и жизненной энергией до конца жизни, или же влачите жалкое существование с расстроенным здоровьем, что особенно характерно для стран с так называемым высоким уровнем жизни. В этих странах главными убийцами являются коронарные заболевания. Высокий уровень жизни вовсе не означает здорового образа жизни.

Я считаю, что эпидемий сердечных заболеваний не будет, если люди будут правильно питаться и тренироваться. Они должны понять, что вся сила у них в руках, и они сами могут защищать себя от любых заболеваний.

Большинство людей живут, совершенно не зная, что значит быть физически здоровыми, ощущать необыкновенный прилив сил, никогда не чувствовать усталости. Они упускают возможность добиться величайшего богатства – здоровья!

ОДНО СЕРДЦЕ, ОДНА ЖИЗНЬ

> Меньше всего мы знаем о своем здоровье. Самое необходимое для хорошей жизни – это быть здоровым.
>
> *Герберт Спенсер*

При рождении большинству людей дается здоровое сердце, хотя всегда есть исключения. Бывают люди, подобные мне, которые рождаются со слабым сердцем и ведут трудную борьбу, чтобы остаться в живых. Но я выжил, и сейчас у меня «сердце без возраста». Чудесное сердце, которое природа дала нам, может биться неограниченно долго. Моисею было 120 лет, когда он умер, Ною – 950 лет, Иареду – 962, Мафусаилу – 969.

В Соединенных Штатах сегодня проживает свыше семи тысяч человек, возраст которых более 100 лет. Проводя исследования по продолжительности жизни, я встречал мужчин и женщин, возраст которых был 120—130 и более лет.

Это показывает, что можно прожить долгую жизнь. Пока сердце бьется — вы живы. И нет большего сокровища, чем жизнь!

Я не живу календарными годами и больше не отмечаю дни рождения. Я живу биологическими или физическими годами. Не имеет значения, какой в действительности ваш календарный возраст. На самом деле, может быть, лучше забыть хронологию и считать только анатомический или психологический возраст.

Долголетие — это сохранение сосудов: «Человек настолько стар, насколько постарели его сосуды». Как-то сэр Вильям Ослер, известный канадский преподаватель медицины и писатель, заметил: «Человек 28—29 лет может иметь такие же видоизмененные артерии, как 60-летний, а 40-летний — как 80-летний старец».

Ослер первый использовал слово «дегенерация» применительно к сосудам. При рождении мы получаем сердце с чистыми артериями, а наши порочные привычки приводят к их дегенерации. Если каждый будет заботиться о своем сердце, то жизнь будет долгой, здоровой и счастливой. Когда вы здоровы, вы — счастливы.

СЕРДЦЕ И КРОВЕНОСНАЯ СИСТЕМА

> Сердце — настоящий двойной насос, каждая сторона которого состоит из двух камер — предсердия и желудочка.

Чтобы понять причины болезней сердца, необходимо знать кое-что о нем самом и о кровеносной системе. Сердечно-сосудистая система распределяет кровь по всему организму, доставляя с ее помощью питающие вещества и кислород к миллиардам клеток и отводя от них токсичные продукты жизнедеятельности (шлаки).

Кровь циркулирует в сосудах протяженностью в 100 тысяч миль и обслуживает каждую клетку в теле от самого сердца до макушки и кончиков пальцев рук и ног. В среднем у человека от четырех с половиной до шести с половиной литров крови, заполняющей эту громадную систему. Во время отдыха кровь циркулирует со скоростью один круг в минуту. Во время активной деятельности или тренировки скорость циркуляции доходит до восьми-девяти кругов в минуту. Такая скорость нужна, чтобы снабдить все клетки тела необходимой энергией и убрать перегоревшие отходы. Даже во время отдыха сердце перекачивает огромное количество крови — не менее 13 тонн за сутки.

СЕРДЦЕ — ЭТО МЫШЦА

> Когда вы заболеваете, ваш новый автомобиль, ваш новый дом, ваш счет в банке — все это отходит на второй план до тех пор, пока вы не вернете обратно силу и энергию.
>
> *Петер И. Стейнкрон*

Если ваша пища безжизненна и в ней отсутствуют важные элементы или если ее ценность разрушена неправильным приготовлением, то вы можете умереть от голода с полным желудком.

Сердце представляет собой мышечный орган, который должен быть мощным и достаточно эффективным, чтобы совершать громадную работу, хотя по размеру он не более кулака.

Сердце — это мышечный насос, и его жизненная задача заключается в постоянном, никогда не прекращающемся движении крови по всему организму. Наиважнейшей функцией крови является доставка кислорода и питательных веществ в ткани.

Сначала кислород поступает из воздуха в легкие. Обогащенная кислородом кровь (красная по цвету) идет к сердцу, которое питает кислородом все ткани тела.

Кровь, бедная кислородом, синеватая по цвету, возвращается к сердцу, откуда откачивается обратно в легкие.

Таким образом, сердце одновременно получает кровь из легких обогащенную кислородом, и из тканей, бедную кислородом. Чтобы отделить эти потоки, сердечная камера разделена мускулистой перегородкой на две части — левую и правую, каждая из которых, в свою очередь, делится на предсердие и желудочек. Предсердие имеет тонкую стенку и служит в основном резервуаром, а желудочек является насосом.

СЛОЖНАЯ СЕТЬ АРТЕРИЙ И ВЕН

Задача циркулирующей крови заключается в снабжении питательными веществами и кислородом всех клеток организма и в регулярной очистке их от ядовитых отходов. Для осуществления этого по всему телу проходит множество сосудов, образующих кровеносную систему.

Кровеносные сосуды, которые несут кровь от сердца, называются артериями, а те, которые возвращают кровь к сердцу — венами. Кровеносные сосуды подобны ручейкам и речкам, которые впадают в одну большую реку.

Самый большой кровеносный сосуд — это главная артерия, или аорта, которая является основной питающей магистралью, идущей непосредственно от сердца и от которой через огромное число ответвлений питаются в конце концов все части тела.

Самые маленькие артерии и вены называются капиллярами; они настолько малы, что большинство из них видны только под микроскопом. Именно через капилляры происходит выделение питающих веществ и кислорода и их переход в вены, по которым кровь, бедная кислородом, идет в сердце для очистки от токсичных веществ. По дороге бóльшая часть так называемых шлаков передается почкам для выделения из тела с мочой. Другой токсин, двуокись углерода, удаляется через легкие.

ОЧИЩЕНИЕ КРОВИ

Когда кровь, заполненная продуктами жизнедеятельности, возвращается в сердце через вены, она сразу же прокачивается через легочную артерию в легкие. Здесь кровь выделяет двуокись углерода и поглощает животворящий кислород, который человек вдыхает в легкие. (Пожалуйста, не загрязняйте его табачным дымом!) Затем кровь возвращается к сердцу и опять поступает через аорту ко всем частям тела.

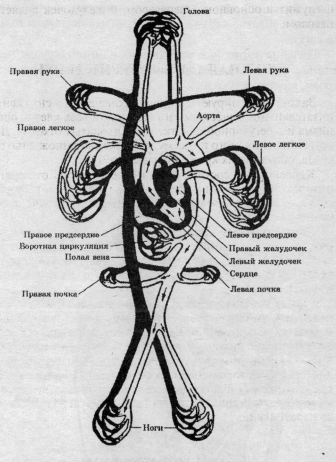

Голова

Правая рука

Левая рука

Аорта

Правое легкое

Левое легкое

Правое предсердие

Левое предсердие

Воротная циркуляция

Правый желудочек

Полая вена

Левый желудочек

Сердце

Правая почка

Левая почка

Ноги

Сердце и кровеносная система

Диаграмма показывает цикл от правого предсердия через легкие к левому предсердию, затем через систему кровообращения обратно к сердцу. Заметим, что вся кровь от системы пищеварения идет через воротную вену, т. е. через печень

Циркуляция крови по телу не проста. Существуют два
разделенных круга кровообращения — от сердца и к сердцу.

Один, большой, идет к тканям, конечностям, внутренним органам и обратно к сердцу. Другой, малый, включает только легкие.

Давление в артериях, естественно, намного больше, чем в венах, так как именно артерии принимают на себя напор крови, идущей из сердца.

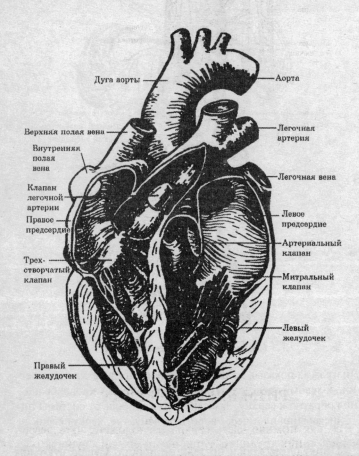

Сердце

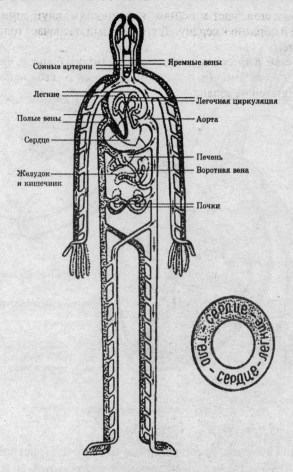

Сонные артерии — — Яремные вены

Легкие — — Легочная циркуляция

Полые вены — — Аорта

Сердце —

— Печень
— Воротная вена

Желудок —
и кишечник — Почки

Схема кровообращения

РИТМ БИЕНИЯ СЕРДЦА

Так как нижняя часть сердца расположена чуть левее средней линии груди, то лучше всего его прослушивать с левой стороны грудной клетки. Однако основная масса сердца расположена в центре грудной клетки.

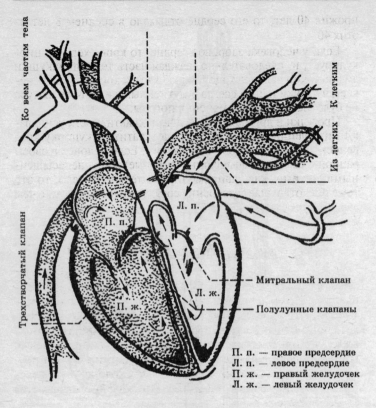

Продольное сечение сердца

Миф о сердце, расположенном слева, очень древний, и несмотря на то, что он все время опровергается, легенда продолжает существовать. Бытующее мнение о том, что плохо спать на левом боку, чтобы не сдавливать сердце,– сказка.

У здорового сердца есть постоянный ритм, который называется пульсом. Измеряется он на запястье, где одна из главных артерий проходит близко к поверхности. Нормальный пульс у взрослого человека составляет примерно 72 удара в минуту. После каждого удара сердце отдыхает. Если человек прожил 40 лет, то его сердце отдыхало в среднем 8 лет из этих 40.

Если у человека здоровое сердце, то кровь хорошо циркулирует, и, следовательно, каждая часть тела от макушки до кончиков пальцев хорошо снабжается кровью. Это означает, что руки и ноги всегда будут теплыми и их температура не будет зависеть от изменения погоды.

Прогулки и другие виды физической активности усиливают циркуляцию и помогают предотвратить закупорку кровеносных сосудов, особенно артерий. Если человек в своем рационе заменяет насыщенные (твердые) жиры ненасыщенными, такими, как, например, растительное масло, то это тоже предотвращает засорение сосудов холестерином, о чем дальше будет сказано.

ЧТО ТАКОЕ СЕРДЕЧНЫЙ ПРИСТУП

Здоровое сердце — это образец эффективности и совершенства. Но если человек неправильно питается и не занимается ежедневно физическими упражнениями, то на стенках кровеносных сосудов появляются отложения, подобные воску, которые называются холестерином. Эти отложения ведут к повреждению стенок сосудов, формированию рубцов, на которых оседают в еще больших количествах холестерин и минеральные вещества. Это явление называется атеросклерозом.

Вместо того чтобы быть гибкими и эластичными, какими они должны быть, чтобы пропускать пульсирующий поток крови, стенки сосудов становятся жесткими и ломкими. Накапливающиеся отложения сужают канал, через который проходит кровь, в результате чего скорость прохождения крови уменьшается.

Прохождение крови может совсем прекратиться, если отложения, оседающие на стенках сосудов, образуют тромб, который полностью перекроет сосуд. Когда тромб образуется в одной из артерий сердца, то создаются условия, называемые коронарным тромбозом, или коронарной закупоркой. Та часть сердца, куда перестает поступать кровь, а следовательно, питание и кислород, тоже перестает действовать. Эти процессы лежат в основе сердечного приступа.

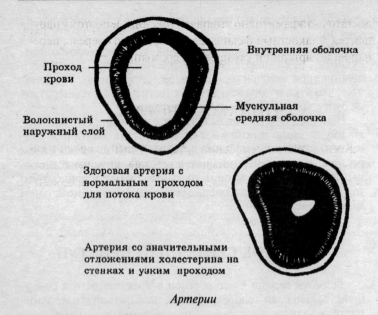

Артерии

ЧТО ТАКОЕ СТЕНОКАРДИЯ

Когда одна из артерий временно лишается кислорода, то образуется спазм. Это состояние и есть стенокардия (грудная жаба). Она создает острую боль в груди. К счастью, эти спазмы действуют очень короткое время, обычно несколько секунд, иногда 3—5 минут и очень редко более 15—20 минут.

Однако если спазм длится более получаса, это уже серьезно, и можно подозревать коронарную закупорку.

РОЛЬ ПОЧЕК В СЕРДЕЧНОМ ПРИСТУПЕ

Не давайте обещаний — делайте добро.

Эльберт Хаббард

Когда нарушается поступление крови в почки, их функционирование значительно ухудшается. Они уже не могут достаточно эффективно выводить токсины, и поэтому нарушается жидкостный баланс тела. Это, в свою очередь, перенапрягает артерии и ухудшает их состояние.

ЧТО ТАКОЕ ИНСУЛЬТ

Когда сгусток крови блокирует поступление крови в какую-то часть мозга, то создаются условия, которые известны как апоплексический удар, или инсульт. Часть тела, контролируемая этим участком мозга, парализуется.

Из сказанного ясно видно, что утверждение, что «возраст человека зависит от его артерий», вполне справедливо и не должно игнорироваться.

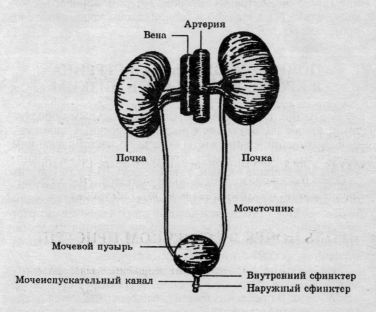

Мочевыделительная система

ЧТО МОЖНО СДЕЛАТЬ СЕГОДНЯ, ЧТОБЫ УМЕНЬШИТЬ ПРЕДРАСПОЛОЖЕННОСТЬ К СЕРДЕЧНЫМ ПРИСТУПАМ

Каждый день в США случается более 10 000 сердечных приступов. Завтра вы можете стать очередной жертвой, если ничего не предпримете сегодня!

Необходимо начать действовать немедленно, чтобы предотвратить несчастье.

Я считаю, что сердечный приступ является результатом накопления сгустков холестерина в артериях. Для того чтобы избежать этого, нужна повседневная работа в течение всей жизни. Если вы серьезно думаете предотвратить сердечные приступы, то примите мою программу здорового сердца, приступить к реализации которой можно немедленно.

Самое главное, чем необходимо заняться — это очищением артерий. Внутренняя сторона артерий здорового человека должна быть гладкой и гибкой, чтобы кровь свободно протекала по ним.

ПОЧЕМУ УРОВЕНЬ ХОЛЕСТЕРИНА В КРОВИ ДОЛЖЕН БЫТЬ НИЗКИМ

Все нации, которые питаются ненатуральными продуктами, имеют высокую смертность от сердечных заболеваний. Крупнейшие авторитеты по сердечным заболеваниям во всем мире подтверждают огромную опасность высокого уровня холестерина в крови. У населения США этот уровень самый высокий в мире. И именно Соединенным Штатам приписывают сомнительную честь быть местом рождения коронарной эпидемии. Сегодня там каждый второй человек умирает от сердечного приступа задолго до наступления старости. Приводимая таблица показывает уровень смертности от сердечных заболеваний в различных странах.

Эта таблица иллюстрирует поразительную разницу между США и Югославией: смертность отличается более чем в 10 раз. В последних шести странах используется очень мало насыщенных жиров, за исключением Франции, однако большое число французов употребляют оливковое масло и другие ненасыщенные жиры.

Смертность от сердечных заболеваний в различных странах мира

Страна	Показатель смертности, кол. на 1 тыс. умерших	Жиры по отношению к общему числу калорий, %	Насыщенные жиры по отношению к общему числу калорий, %
США	704	39,2	33,5
Финляндия	621	31,1	38,4
Канада	588	38,0	35,0
Австралия	577	37,9	34,7
Новая Зеландия	525	39,8	37,6
Великобритания	428	38,4	35,0
ФРГ	314	36,6	23,0
Дания	295	38,3	25,5
Швеция	295	39,4	28,3
Австрия	294	31,3	23,9
Швейцария	273	33,4	23,6
Чили	267	19,8	12,0
Бельгия	250	35,0	24,4
Норвегия	249	38,0	17,0
Италия	226	22,3	10,5
Япония	122	7,9	1,4
Франция	109	29,5	20,7
Португалия	108	24,5	9,4
Цейлон	103	15,2	11,8
Югославия	68	19,1	13,2

АМЕРИКАНЦЫ ЛЮБЯТ ПИЩУ С ВЫСОКИМ УРОВНЕМ ХОЛЕСТЕРИНА

Американцы любят большие бифштексы, толстые ломти ростбифа, тонкие слои окорока, свиные отбивные, свиные ребрышки, куски жареной свинины, холодное мясо, а также сыры, мороженое, взбитые сливки, кремы, молоко, масло, яйца, сметану, пирожки и пирожные, конфеты, жареную картошку, мясные подливки, мясные супы, картофельные чипсы и все виды салатов, которые продаются с приправами, сделанными на насыщенных жирах.

В этой любимой американцами еде преобладают тяжелые или насыщенные жиры, преимущественно животного происхождения. Эти жиры содержат большое количество холестерина и поэтому повышают его уровень в крови. Средний уровень холестерина в крови у жителей США намного выше «безопасного уровня», что является предвестником большого числа сердечных заболеваний.

ЧТО ТАКОЕ НОРМАЛЬНЫЙ УРОВЕНЬ ХОЛЕСТЕРИНА В КРОВИ

В крови обязательно должно содержаться определенное количество жиров и холестерина. И только избыток их представляет опасность. Вот почему надо следить, чтобы уровень холестерина в крови был нормальным.

Какой же уровень холестерина в крови можно считать нормальным? Сделать вывод можно, только сравнив его с уровнем холестерина в крови у людей других стран мира, которые совершенно не страдают сердечными заболеваниями. С начала «коронарной эпидемии» в Соединенных Штатах медики досконально изучили этот вопрос и сошлись на том, что уровень холестерина в крови должен быть не выше 200 единиц (сейчас в США он составляет 230—260). Я считаю, что он должен быть в пределах от 120 до 180, и поддерживаю его у себя именно таким. Советую дважды в год проверять уровень холестерина в крови — лучше обезопасить себя, чем потом горько сожалеть.

ГОЛОДАНИЕ – САМЫЙ БЫСТРЫЙ И ЕСТЕСТВЕННЫЙ СПОСОБ СНИЖЕНИЯ УРОВНЯ ХОЛЕСТЕРИНА В КРОВИ

Устранение вредных веществ из организма с помощью голодания увеличивает продолжительность жизни.

Алексис Каррел, известный ученый, доктор медицины

По моему мнению, голодание – самый быстрый и легкий метод понижения уровня холестерина. Я провожу про-

верку уровня холестерина дважды в год, и если он превыша-
ет 180, то голодаю от трех до семи дней, и он становится
ниже 180.

Голодание дает возможность отдохнуть сердцу. Вот почему я голодаю 24 часа каждую неделю. В это время я пью
только дистиллированную воду. Дальше я расскажу об этом
подробнее.

ХОЛЕСТЕРИН — БАРОМЕТР ДОЛГОЛЕТИЯ

Если организм перегружен жирами в крови (избыток холестерина), то это, несомненно, укорачивает жизнь.

Холестерин сам по себе не вреден. Он очень важен для
протекания многих процессов, и организм даже вырабаты-
вает его как дополнительное горючее в крайних случаях.

Холе — означает желчь, стерин — жирный. Большинство
жиров, которые мы съедаем, перерабатываются печенью в
холестерин и выделяются в желчь, чтобы позже опять попасть в кровь, которая разнесет его по всему организму. Еще
раз отметим, что нормальный уровень холестерина составляет 120—180 единиц.

Но когда пища перегружена холестерином, содержащим
насыщенные (твердые) животные жиры, и когда нашей фи-
зиологической активности недостаточно для «сжигания»
нормального количества холестерина, он оседает на стенках
артерий и засоряет их. Установлено, что количество холестерина, отложившегося на стенках сосудов, прямо пропор-
ционально количеству холестерина в крови.

Когда уровень холестерина в крови поднимается до 250,
300, 350 единиц и выше, ваши артерии загрязнены. Следует
подчеркнуть, что эти избыточные значения холестерина не
редки в наши дни, особенно у американцев.

Помните, что количество холестерина в крови говорит о
риске заработать сердечные заболевания. Это — барометр
продолжительности вашей жизни.

Поэтому каждый взрослый человек должен следить за
тем, чтобы уровень холестерина в крови не поднимался
выше безопасного, нормального уровня. В противном случае куски липкого холестерина могут блокировать артерии
и привести к сердечным заболеваниям, инсульту и смерти.

СКОЛЬКО ЖИРОВ
ПОСТУПАЕТ В ОРГАНИЗМ

Большинство людей мало знают или ничего не знают о холестерине и поэтому с удовольствием едят много масла с хлебом, со сдобными булочками, а также с картофелем и овощами. Они выпивают огромное количество пастеризованного молока и съедают галлоны мороженого.

Мясо, птица, яйца, жареная картошка, пончики, бекон, ветчина, сосиски — все эти продукты доставляют в кровь большое количество жиров. Эти люди не понимают, что высокий уровень холестерина в крови ведет их к несчастью.

Некоторые потребляют ежедневно по четыре-пять чашек насыщенных жиров и потом удивляются, отчего у них сердечный приступ, инсульт или какое-либо другое сосудистое заболевание.

Как говорилось раньше, засорение кровеносной системы избытком холестерина — отложениями тяжелых воскообразных жиров на стенках артерий — называется атеросклерозом. И причина его не возраст, а неправильное питание! При осмотре тел молодых солдат, убитых на войне в Корее, обнаружен поразительный факт: 77 процентов из них (средний возраст 22 года) уже имели атеросклероз. И наоборот, среди корейцев и солдат других азиатских народностей, которые погибли в этих же сражениях, было только 11 процентов имеющих признаки этого заболевания. Но хорошо известно, что восточная пища имеет меньше насыщенных жиров.

СМЕРТОНОСНЫЕ ЖИРЫ

США — страна, в которой потребляют большое количество жиров. Пища 40 процентов средних американцев включает насыщенные жиры и большинство из них — промышленные гидрогенизированные жиры, смертельно опасные. Это настолько твердые жиры, что не расплавляются от тепла человеческого тела.

Натуральные же, ненасыщенные жиры плавятся при температуре человеческого тела. Это скоропортящиеся продукты. Соприкасаясь с кислородом, натуральные жиры становятся прогорклыми с сильным запахом и неприятным вкусом.

Гидрогенизированные, ненасыщенные жиры остаются стойкими к кислороду и имеют хороший запах. Крупные производители этих жиров говорят, что они всегда остаются «свежими». Домашняя хозяйка может купить какой-нибудь сорт такого жира и хранить его дома хоть 10 лет — он не может испортиться. Эти жиры очень хорошо и умно рекламируют, однако реклама не имеет никакого отношения к хорошему питанию. То же самое можно сказать и о маргарине.

Итак, вместо натуральных ненасыщенных жиров, которые принесли бы членам семьи здоровье, домашняя хозяйка покупает свои любимые смертоносные насыщенные жиры, которые причиняют много неприятностей, попадая в кровь. Эти «убийцы», содержащие много холестерина, осаждаются на стенках сосудов кровеносной системы и могут способствовать образованию смертельного тромба.

Остерегайтесь насыщенных гидрогенизированных жиров!

ПРИСЛУШАЙТЕСЬ К СЛОВАМ ДОКТОРА УАЙТА — ИЗВЕСТНОГО СПЕЦИАЛИСТА ПО СЕРДЦУ

Доктор Поль Дадли Уайт, президент Американской ассоциации сердца и известный во всем мире специалист, дает совет, как уберечь сердце. Я хочу привлечь ваше внимание к некоторым моментам в статье доктора Уайта, которая была написана для ассоциации. Он начинает с удивительной информации о том, что средний возраст человека начинается с 20 лет и «опасные годы» приходятся на период между 20 и 40 годами. Вот слова доктора Уайта: «Когда начинается средний возраст? В 20 и продолжается до 80 лет. И опасные годы этого 60-летнего периода приходятся на первые 20 лет, а не на последние. Эти годы, когда перекормленный и недогруженный физически народ сеет семена для будущей жатвы коронарных заболеваний».

НАДЕЖДА НА БЕЗГРАНИЧНУЮ ЖИЗНЬ СУЩЕСТВУЕТ, ГОВОРИТ ДОКТОР УАЙТ

«Я считаю, что жизнь человека делится на пять возрастов,— говорит доктор Уайт.— От рождения и до 20 лет, затем три отрезка среднего возраста: 20—40, 40—60, 60—80 лет, а в заключение старость — 80—100 лет. Последний отрезок может постоянно удлиняться, и предела этому я не вижу. Продолжительность нашей жизни должна увеличиваться по мере победы науки над болезнями...»

«Народ может играть важную роль в увеличении продолжительности жизни. Индивидуальные программы по правильному питанию и физическим упражнениям для мужчин и женщин в возрасте между 20 и 40 годами должны вырабатывать постепенно привычки к хорошему здоровью и долгой жизни...»

«Мужчина женится приблизительно в 20 лет. Его жена готовит очень много и очень хорошо, и вот благодаря ее кулинарному искусству, автомобилю и телевизору мужчина к 45 годам прибавляет 10—15 кг. Это годы, когда холестерин активно откладывается на стенках сосудов и блокирует артерии. Он может затронуть или мозг (инсульт), или сердце (коронарный тромбоз), или почки. Вот почему в возрасте 45—50 лет мужчина может умереть. Но его смерть не внезапна. Она подготавливалась годами.

Я могу добавить, что автомобиль и телевизор должны служить человеку, а не подчинять его...»

«Озлобленность народа и нездоровый образ жизни — вот два фактора, которые повинны в том, что многие американцы живут всего 40 лет,— продолжает доктор Уайт.— Никогда не бывает поздно начать новую жизнь. Нужны контроль над весом, чтобы исключить ожирение, и физическая активность. Одной из лучших форм физической активности, доступной для всех, являются прогулки... Они должны быть энергичными, и для человека с нормальным здоровьем составлять не менее пяти миль». (Доктор Уайт большой энтузиаст велосипедного спорта, и даже теперь, в свои 80 лет, он ездит на велосипеде).

Это слова известного на весь мир специалиста по сердцу. Упражнения и диета. И то и другое должны и могут быть регулярными и доставлять удовольствие.

УДИВИТЕЛЬНОЕ ОТКРЫТИЕ ДОКТОРА КАРРЕЛА

Доктор Алексис Каррел, известный биолог рокфеллеровского исследовательского центра в Нью-Йорке, доказал всему миру, что живое тело может быть бессмертным!

В январе 1912 года этот великий ученый поставил эксперимент. Он взял кусок сердечной мышцы от куриного эмбриона и обеспечил ему питание и удаление отходов. Этот эксперимент длился более 35 лет, и крошечный кусочек эмбриона оставался живым. Когда в 1947 году эксперимент был прекращен, оказалось, что этот кусочек сердечной ткани прожил много куриных жизней, что эквивалентно сотням лет человеческой жизни. Он был назван «тканью вечной молодости».

Этот чудесный кусочек сердца эмбриона удваивался в размерах каждые 48 часов! Наросшие слои удалялись, чтобы ткань оставалась в первоначальных размерах, иначе значительные размеры сделали бы невозможным питание и очищение клеток. В течение более 35 лет любой ученый мог видеть собственными глазами «вечную жизнь».

Мы можем сделать вывод из замечательного эксперимента доктора Каррела, а именно: если организм правильно питать и удалять отходы, то жизнь может продолжаться бесконечно.

РЕШАТЬ ПРЕДСТОИТ ВАМ

Только вы сами можете надлежащим образом позаботиться о своем организме с тем, чтобы в дальнейшем наслаждаться жизнью. Большинство людей достигают расцвета к 25—35 годам, а потом начинается резкий спад.

Я утверждаю, что любой человек может достичь расцвета своих жизненных сил в любом возрасте и поддерживать его в течение многих лет, если будет следовать программе здорового сердца.

Если у вас низкое или высокое кровяное давление, то вы можете привести его к норме, следуя законам природы. Мое кровяное давление, как у молодого, здорового человека в возрасте 20 лет, составляет 120/80, а пульс — постоянно 60 ударов.

Я считаю, что мой случай не исключительный и не выходит за рамки обычного. За долгую жизнь мне встречалось много мужчин и женщин, имевших в солидном возрасте здоровье, как у молодых.

МАКФЕДДЕН — ОСНОВАТЕЛЬ ФИЗИЧЕСКОЙ КУЛЬТУРЫ

Некоторое время я работал с Бернардом Макфедденом — отцом и основателем Общества физической культуры. Макфедден тратил тысячи долларов на поиски самого старого человека на земле.

Я был у него исследователем. Каждый человек, который претендовал на солидный возраст, тщательно исследовался. Я объехал весь мир, беседовал с мужчинами и женщинами в возрасте от 110 до 154 лет!

Свою работу я считал очень увлекательной, так как в глубине души всегда хотел жить долго. Под «долго» я имел в виду не среднюю продолжительность жизни человека равную 70—80 годам. Я хотел бы прожить до 140—150 лет. По моим исследованиям выходило, что это возможно!

АКТИВНОСТЬ В 154 ГОДА

В Константинополе (Турция) я встретил замечательного человека — Зору Агху, которому было 154 года. И чем же занимался этот человек? Он работал грузчиком на большой железнодорожной станции в Константинополе! Каждый день в течение 12 часов он таскал тяжелый груз. Его зрение, слух и физическая сила были невероятными. Его ум был острым, он имел чувство юмора и весь день шутил и улыбался.

В свои 154 года он потерял только два зуба, остальные были крепкие и белые, как перламутр.

СЕКРЕТ МОЛОДОСТИ В 154 ГОДА – НАТУРАЛЬНАЯ ПИЩА И ФИЗИЧЕСКАЯ АКТИВНОСТЬ

Я расспрашивал Зору о секретах его изумительно долгой и здоровой жизни. Его еда была очень простой, и он не использовал рафинированную и искусственно приготовленную пищу. Он никогда в жизни не ел белый хлеб и белый сахар и никогда не пробовал никакого алкоголя.

Когда я спросил его о любимой пище, он ответил с готовностью: «Финики». Это подтвердило мои исследования по долгожительству здоровых людей. Я открыл, что люди, которые едят финики, обладают избытком жизненной энергии, выносливости и стойкости. Однажды в Атласских горах на севере Африки я изучал племя первобытных арабов, которые поразили меня своей необыкновенной силой. Я встречал людей в возрасте 70—90 лет, которые были хорошими всадниками и могли проводить весь день в седле при 50-градусной жаре.

Но о финиках как здоровой пище, их чудесном свойстве я узнал от Зоры Агхи в далекой Турции. Я узнал также, что он ограничивался тремя-четырьмя штуками в день. Он не только знал о замечательной энергетической ценности натуральных сахаров, находящихся в финиках, но и учитывал, что организм может переработать только ограниченное количество сахара.

ПИЩА ДОЛГОЖИТЕЛЯ – ПИЩА БИБЛЕЙСКИХ ВРЕМЕН

Энергичный 154-летний Зора Агха ел также большое количество чеснока — забытую пищу человека. Чеснок называют пенициллином бедных людей, и, будучи диетологом, я знаю его ценность для сердца и артерий.

Зора сказал мне, что он ест только черный черствый хлеб, высушенный на солнце. Он покупает буханку хлеба, режет ее на ломти и сушит их на солнце. Он никогда не ест свежего хлеба.

Примечание. Когда мы путешествуем, моя дочь Патриция сушит наш хлеб здоровья на солнце, просто раскладывая его на подоконнике. Таким образом, даже уезжая из дома, можно есть здоровый сухой хлеб.

Зора Агха ест также постное мясо, спелые оливки и большое количество овощей и фруктов. Он никогда не ест животного жира и употребляет не больше двух яиц в неделю. Для кулинарной обработки и на салаты он берет сафлоровое масло, которое используется в Турции и Средней Азии в течение сотен лет.

Я считаю, что Зора естественным путем открыл секрет долголетия библейских патриархов, мифический возраст которых поддерживался подобной пищей.

ЖИЗНЬ ЗАВИСИТ ОТ ПИЩИ, КОТОРУЮ МЫ ЕДИМ

От этого 154-летнего здорового энергичного человека я узнал очень много о том, как сохранить сердце здоровым. Это простая пища из натуральных продуктов, постное мясо и большая физическая активность.

Я встретил только одного Зору Агху за свою жизнь, но считаю, что когда массы цивилизованных людей перейдут на простую натуральную пищу, то многие доживут до своих 154 лет.

Каждый интеллигентный человек согласится со мной, что наша жизнь в значительной мере зависит от пищи, которую мы едим, и насколько правильно она выбрана, настолько здоровыми будут наши сердце, клетки, мозг, ткани и жизненные органы завтра, через месяц, через год, через 10 лет. Пища, которую человек ест, становится самим телом, то есть и сердцем, и мозгом, и нервами.

КРОВЬ – ЭТО РЕКА ЖИЗНИ

Кровь состоит из миллиардов крошечных клеток. Они питаются той же пищей, которую мы едим и которая попадает в кровь. В Библии сказано: «Жизнь плоти — в крови» (Ветхий завет. Левит 17 : 11). Если у вас чистая, хорошо циркулирующая кровь и чистые сосуды, то почему бы не жить «молодой» жизнью долгие годы.

Красные кровяные тельца полностью заменяются в крови каждые 28 дней, и этот процесс идет от колыбели до самой смерти. Они создаются за счет той пищи, которую мы едим, и за счет тех напитков, которые мы пьем. Совершенно ясно, что если правильно питаться и сохранять кровеносную систему (артерии, вены, капилляры) чистой, то можно увеличить продолжительность жизни.

ВЫ МОЖЕТЕ КОНТРОЛИРОВАТЬ СВОИ БИОЛОГИЧЕСКИЕ «ЧАСЫ ЖИЗНИ»

Источник здоровья — хорошая, чистая кровь, получаемая от естественной пищи, чистой воды и свежего воздуха. Эти вещества должны быть активно распределены по всему телу кровеносной системой.

Я утверждаю, что любой человек, который никогда раньше не заботился о своем организме, может восстановить здоровье и иметь сильное сердце и чистые сосуды. Это подтверждает мой собственный опыт. Избыток здоровья, силы, выносливости — лучшее доказательство успеха. Безнадежность, беспомощность, физическое бессилие своего организма я превратил в великолепное супердоровье. Организм имеет свойство самовосстановления и самоисцеления. Где жизнь — там и надежда. Пусть вас не обескураживает физическое состояние. Обратившись к матери-природе, можно перестроить кровеносную систему, а с помощью новой кровеносной системы создать здоровое сердце. Для этого вы должны иметь эластичные, гибкие и чистые сосуды. Программа здорового сердца — план создания вашего нового Я! — полного жизни, бодрости и здоровья!

Не имеет значения, сколько вам лет. Важно, насколько чисты ваши артерии и кровь. Вы вполне можете распоряжаться своими «часами жизни». И почему бы вам не осуществить библейское пророчество: «Жизнь человека должна составлять 120 лет» (Книга Бытия 6 : 3)?

НЕ ОБЯЗАТЕЛЬНО БЫТЬ СТАРИКОМ

Почему люди стареют? Старость вовсе не обязательна, во всяком случае не так неизбежна, как вы думаете. Вместо покорного старения... протест! Обновление! Вы можете бросить вызов времени. В 60 лет иметь ясные, как у птицы, глаза и излучать радость жизни... в 70 — быть наполненным солнечным светом... в 80 — носить свой возраст как драгоценность... и кто знает, вы, может быть, станете вторым Зорой Агхой.

Вы встаете на жизненный перекресток. Пойдете ли вы по пути наименьшего сопротивления, который может привести только к преждевременному концу, или, приняв программу жизни, заберетесь на ясную вершину здоровья? Если вы хотите долго жить, переходите к правильному образу жизни сегодня.

ВЫ МОЖЕТЕ СТАТЬ МОЛОДЫМ, ЕСЛИ ЗАХОТИТЕ

Почему человек не молодеет с каждым днем? Если у вас есть желание, то есть и энергия, и тогда в союзе с великой богиней Гигиеной вы добьетесь успеха!

С помощью программы здорового сердца можно сохранить сильное сердце и мощную кровеносную систему. Я не могу сделать это за вас. У меня нет лекарств, чтобы лечить больное сердце. Только природа может вылечить заболевания сердца. Но здоровым тело станет только тогда, когда кровь будет получать надлежащий строительный материал. Обратите внимание, что программа здорового сердца — это только вдохновляющая идея, которая дает опору, возможность взглянуть на жизнь по-новому и подняться на более высокий уровень здоровья и счастья.

ШИРОКИЙ ПУТЬ К КРЕПКОМУ ЗДОРОВЬЮ

Здоровье и счастье... Эти понятия мне кажутся неразделимыми. Мой девиз: сделать свое тело храмом чистоты.

Для меня состояние моего сердца и всего организма — это религия. Я не считаю здоровым человека, который в основном здоров. Иметь хорошее здоровье — это иметь чувство высочайшего блаженства, чувство, которое заставляет человека говорить с удовольствием: «Я сегодня чувствую себя великолепно».

Мы все согласны, что основная цель в жизни — это счастье. Но к счастью ведет только одна дорога, которую можно уверенно рекомендовать, — дорога к крепкому здоровью!

Без здоровья не может быть счастья. Здоровый землекоп больше любит жизнь, чем больной, слабый миллионер. Хорошее здоровье — наиглавнейший фактор в достижении счастья. В здоровом теле — здоровый дух.

ЗДОРОВЫЕ ТЕЛО И РАЗУМ

Здоровое тело творит здоровый разум. Однако наоборот не бывает: здоровый разум не сотворит здоровое тело. Было бы замечательно, если бы разум мог победить плоть. Но увы! Тело обычно сильнее влияет на разум, чем разум на тело. Здоровый человек редко бывает несчастным, но едва ли больной человек будет радоваться жизни.

Чтобы получить от жизни максимум удовольствия, надо начать с тела. Необходимо создать сильное, энергичное сердце, чтобы приобрести самое большое богатство на земле — здоровье!

Вот почему я энтузиаст правильного питания и физической культуры. Счастье сильно зависит от той заботы, которую мы проявляем по отношению к нашему телу. Через гармонию тела проявляется торжество духа. Умственная ясность имеет сугубо физическую основу, и чистотой живых тканей достигается более высокий уровень здоровья.

Давайте же сделаем здоровье наиглавнейшей заботой нашей жизни, так как все начинания зависят от него.

НИКОГДА НЕ ПОЗДНО НАЧАТЬ УЧИТЬСЯ

Можете ли вы доверить ремонт своего автомобиля несведущему человеку? Конечно, нет! Однако в отношении точнейшего механизма, который представляет собой человеческий организм обычный человек так и делает.

К счастью, никогда не поздно получить знания и применить их на практике. Выше описаны структура и работа человеческого сердца и кровеносной системы, объяснена важность сохранения низкого уровня холестерина в крови.

Я советую время от времени просматривать эти страницы, чтобы досконально понять, для чего нужна программа здорового сердца, которую я собираюсь обрисовать в общих чертах. И пусть она будет вашим проводником на пути к здоровью!

ОТКРЫТИЕ ЗДОРОВЬЯ

Здоровье определяется как физическая неосознанность, то есть здоровое тело даже не подозревает о своем функционировании, настолько оно идет гладко. Большинство молодых людей не могут сказать, что такое здоровье, так как имеют его в изобилии.

С годами, однако, мы все больше и больше начинаем чувствовать свое здоровье. Очень часто говорят: «Вы тратите свое здоровье, чтобы приобрести богатство», а в последующем наоборот: «Вы тратите свое богатство, чтобы приобрести здоровье». Нет такого понятия для нас, как здоровье, если нет нужды в нем. Мы начинаем открывать его существование только тогда, когда нуждаемся в нем больше всего. Я считаю, что большинство людей больны в различной степени после 50 лет.

Здоровье — это гордость, это что-то такое, что надо очень любить. Это проявление воли и глубокого желания жить долгой, счастливой, здоровой, деятельной жизнью.

ДЕЛАЙТЕ ВКЛАДЫ В «БАНК ЗДОРОВЬЯ»

Есть ли большее счастье, чем не думать о своем здоровье и здоровье своих близких? Не думать о том, что любимый человек будет страдать от сердечных заболеваний? Или что кто-то из близких умрет в раннем возрасте?

Возможно, это «слишком хорошо, чтобы быть правдой», однако от всех забот о здоровье вас может избавить программа здорового сердца. Я искренне убежден и со всей ответственностью заявляю, что сердечные или какие-либо другие заболевания не являются неизбежностью — их можно предотвратить, приложив определенные усилия.

Время и усилия, которые вы потратите, следуя этой программе, будут вложены в «Банк здоровья», и это принесет вам и вашим близким большое счастье. Здоровье — это богатство!

Рекомендации, данные в этой программе, никогда сами по себе не сделают сердце здоровым. Еще раз хочу подчеркнуть, что программа — не лекарство от болезней сердца, и она ничего не сможет сделать, пока не используется активно. Но тело может само излечиться, что и происходит в тысячах случаев.

ОСНОВНЫЕ ТРИ УСЛОВИЯ ДЛЯ СОХРАНЕНИЯ ЗДОРОВОГО СЕРДЦА И ПРОДОЛЖИТЕЛЬНОЙ ЖИЗНИ

Если рядом расположенное пастбище выглядит более зеленым, то это только потому, что уход за ним лучше.

Этими условиями являются: нормальный вес, ежедневные упражнения, правильное питание. Предположим, вам сказали, что вы должны ежедневно таскать на себе очень неудобный груз весом от 8 до 20 килограммов, независимо от того, гуляете ли вы, сидите, едите или спите... Вы, вероятно, возмутились бы, не так ли? Однако именно этим вы занимаетесь при избыточном весе! Вы носите на себе груз нездорового дряблого жира. Вы перегружаете все органы, особенно сердце и кровеносную систему.

Избыток веса опасен! Он истощает сердце. Страховая статистика показывает, что толстые люди живут меньше. Каждый килограмм лишнего веса укорачивает жизнь. Вот почему первое условие для здорового сердца — нормальный вес!

Нормальный вес должен быть достигнут естественным путем и в дальнейшем постоянно поддерживаться. Применение лекарств от ожирения может быть даже более опасным, чем само ожирение!

Второе условие для здорового сердца — ежедневные упражнения. Физическая активность не только поможет сохранить нормальный вес, но будет также стимулировать здоровое кровообращение, повысит тонус мышц и органов, поможет улучшить функционирование всех органов тела.

Самым важным является третье условие — правильное питание! Здоровое сердце и здоровое тело создаются чистой и здоровой кровью, а чистая, здоровая кровь — пищей, которую вы едите. Пища является наиболее важным фактором в регулировании веса, питании крови и через нее — в питании всего тела, предохраняет сердце от смертельного холестерина и укрепляет его, превращая в мощный источник жизни и вечной молодости.

ОСТЕРЕГАЙТЕСЬ ИЗБЫТОЧНОГО ВЕСА

> Предки нам даются свыше, но привычки — плохие или хорошие — мы выбираем сами.

Индикатором хорошего здоровья является нормальное количество жировой ткани. Но, когда жировые накопления начинают «выпирать» тут и там и портят вашу фигуру, берегитесь! Это опасный сигнал, который служит предупреждением, что пора решительно браться за дело.

Избыточный вес вызывает сердечные приступы, дает чрезмерную нагрузку сердцу и сигнализирует, что вы едите насыщенные жиры, которые засоряют артерии холестерином. Избыточный вес губителен для красоты, для молодости, он приводит к болезни и даже к преждевременной смерти.

Миф о том, что полные красные щеки и округлое полное тело есть признак здоровья, все еще бытует даже в наш просвещенный век. Миф развеивается гораздо медленнее, чем умирают тучные люди. Болезнь приходит очень быстро, но как долго приходится от нее избавляться!

Тучный человек склонен к медлительности и флегматичности. Избыточный вес сигнализирует о сходных накоплениях вокруг сердца, почек и других органов, ослабляя их функции. Но жизнь человека зависит именно от функционирования этих жизненно важных органов, и в частности сердца. От плохой работы этих органов страдает весь организм.

НЕ БУДЬТЕ ГЛУПЫМ

Если вас назовут глупым, это будет для вас большим оскорблением, так как кто же себя считает глупым? Но разве не показатель глупости тот факт, что вы позволяете своему телу стать безобразным, нездоровым, рыхлым? Уверен, что придет время, когда понятия «толстый» и «тупоголовый» будут синонимами и будут одинаково постыдны!

Толстый человек медлителен и вял. Сопротивляемость его организма обычно понижается. Если необходимо поторопиться, то он пыхтит, как паровоз. Его сердце и легкие работают плохо и не способны нормально действовать в экстремальных ситуациях. Толстый человек двигается с трудом, и груз избыточного веса ограничивает его умственную деятельность так же, как и физическую.

Когда спортсмен готовится к соревнованиям, он устраняет излишки жира, понимая, что они помешают ему и уменьшат его выносливость и физическую энергию. На военной службе — та же ситуация.

Толстый человек не способен бороться, а жизнь — это борьба. Неспособность к действию и ожирение — закадычные друзья: они спят и едят вместе, а также вместе избегают физических нагрузок.

ВАША ТАЛИЯ — ЭТО ВАША ЖИЗНЬ

Если у вас лишний вес, вы заигрываете со старостью, позволяя клеткам старости накапливаться в организме. Вы заигрываете с болезнями и должны быть готовы к тому, чтобы понести за это наказание.

Чтобы сохранить фигуру молодой, каждый должен проявить заботу о своем здоровье. При избыточном весе надо или увеличить физическую нагрузку, или уменьшить количество потребляемой пищи, или сделать то и другое одновременно! Не успокаивайте себя тем, что с годами люди полнеют. Если вы совершите эту ошибку, старость придет намного раньше, вас одолеют болезни или наступит преждевременная смерть. Первая излишняя полнота — смертельный враг. Она часто приходит, как вор в ночи, тихо, без предупреждения. Иногда вы замечаете опасность слишком поздно. Но надо бороться! От этого, возможно, зависит ваша жизнь.

СОХРАНЯЙТЕ СТРОЙНОСТЬ ФИГУРЫ И ЧУВСТВО СОБСТВЕННОГО ДОСТОИНСТВА

Толстая бесформенная фигура может не только расстроить здоровье. Она может лишить вас чувства собственного достоинства. Своим телом надо гордиться, а не стыдиться его.

Чувство собственного достоинства так же необходимо духовной жизни, как здоровая пища — телу. Если хотите быть энергичным, молодым, полным энтузиазма огня и страсти, берегите свою фигуру и сохраняйте чувство собственного достоинства!

Создавайте свое тело, как скульптор лепит статую или художник пишет картину. Оно должно быть выражением всего самого лучшего, что есть у вас. Проявите характер, и тогда излишки жира не задержатся в вашем теле.

ЧТО ТАКОЕ НОРМАЛЬНЫЙ ВЕС

Существует большое количество карт, таблиц и статистических данных для определения нормального веса в зависимости от возраста, роста и т. д. Они являются усредненными. Но ведь не существует среднего человека, поэтому используйте такие данные только как ориентир.

Если правильно питаться и выполнять физические упражнения, то можно достичь естественного, нормального, присущего только вам веса и сохранить его. Можно не измерять постоянно окружность талии и бедер. Если у вас здоровое, крепкое, без лишнего жира тело, то не имеет значения, имеете вы вес больше или меньше «среднего» для вашего возраста и роста. Важно найти собственный естественный, нормальный вес. Если даже вы имеете избыточный вес, но тело крепкое и здоровое, то для вас — это нормальный вес. Рыхлая же полнота не может быть нормальной!

Когда мы говорим: «То, что не используется, то теряется», это полностью применимо к 600 мускулам человеческого тела. Если их не использовать, то они теряют свой тонус и становятся вялыми и дряблыми.

УМ — ХОЗЯИН ТЕЛА

Настройте свой мозг на мысль, что вы действительно хотите иметь нормальный вес. Это труднее, чем кажется, так как ум старается оправдать избыточный вес. Например, вы говорите себе: «Я отношусь к полному типу людей, и для меня естественна полнота». Или: «Я ем очень мало, а остаюсь полным». Последнее может быть правдой, но помните: главное, что вы едите, а не сколько. Это очень важно при избыточном весе... Ум должен быть хозяином тела. Плоть бессловесна, плоть слаба, плоть часто требует жирной, сладкой, крахмалистой пищи. Или ваш ум управляет телом, или тело — умом. Будьте тверды! Скажите телу, что ум — его абсолютный хозяин.

Помните, для продолжительной гонки нужна худая лошадь. Если вы мечтаете о здоровье и долгой жизни, то держите тело в полном порядке. Пусть бьет ключом из вас энергия и сила, не бойтесь жизненных проблем, не бойтесь сердечных или других болезней.

ЕЖЕДНЕВНЫЕ УПРАЖНЕНИЯ ДЛЯ СОХРАНЕНИЯ СИЛЬНОГО СЕРДЦА

Леность — вредная привычка. Сидеть очень много — вредно для здоровья. Ежедневно вы должны найти один-два часа для активной физической деятельности. Самое простое — это быстрая ходьба, желательно по пересеченной местности. А лазанье по горам — это лучшее упражнение для сохранения здорового сердца.

Я люблю ходить в горы. Около моего дома в Голливуде (Калифорния) находится знаменитый Гриффин Парк, в котором возвышается на 600 метров гора Голливуд. Я часто взбираюсь на эту гору, а всю дорогу вниз бегу.

Каждый день я бегаю и гуляю. У меня есть также велосипед, на котором я часто проезжаю многие километры. Я плаваю и играю в теннис. И три раза в неделю у меня бывают тренировки с гантелями и штангой различного веса.

Физические упражнения — самый важный фактор, позволяющий человеку избежать атеросклероза и увеличить поток обогащенной кислородом крови через сердце и тело.

РАЗВИВАЙТЕ СВОИ МЫШЦЫ

Помните, что со дня рождения и до самой смерти очень большую роль играют 600 мышц вашего тела. Мышцы составляют больше половины веса всего тела. Бóльшую часть их вы не видите. Вдоль девятиметрового желудочно-кишечного тракта находятся мускулы, которые проталкивают пищу. Для того чтобы заставить нормально работать легкие, также нужна мощная мускулатура.

Но самая значительная мышца в вашем теле — сердце. Именно сердце качает кровь, питая остальные 600 мышц. И чем большее количество из этих 600 мускулов будет работать, тем лучше будут ваше сердце и кровеносная система, тем лучше будет физическое состояние и здоровье.

Не колеблясь, я скажу, что быстрая прогулка — лучшая форма физической нагрузки. Если вы хотите, чтобы ваши внутренние органы были здоровы, больше ходите пешком.

ХОДЬБА — КОРОЛЕВА ФИЗИЧЕСКИХ УПРАЖНЕНИЙ

Из всех форм физической активности есть одна, которая приводит в движение бо́льшую часть тела. Чтобы убедиться в этом, во время ходьбы крепко возьмите себя за талию, и почувствуйте, как внутренние органы отвечают на каждый шаг, как работают почти все основные мышцы. Ни в каких других упражнениях не достигается такой же гармонии координирующей мускулатуры, такого же совершенства циркуляции крови. Быстрая ходьба — королева упражнений.

Вы должны проходить несколько километров ежедневно. Сделайте ежедневную прогулку постоянным пунктом вашей программы здорового сердца — круглый год в любом месте и в любую погоду. Ходьба не требует специального оборудования, и ею можно заниматься в любое удобное для вас время. Независимо от того, делаете ли вы какие-либо другие упражнения, или нет, ходьба должна быть обязательной! Ходить может каждый человек в любом месте, в любое время. Конечно, ходьбу можно заменить гольфом, если вам нравится этот вид спорта. Хотя я склонен согласиться с Марком Твеном: «Гольф может испортить хорошую прогулку». Но в результате вы получите те же хорошо работающие мышцы, ускоренную циркуляцию крови с ее неизменными спутниками — гармонией и счастьем.

Если вам не удается погулять на свежем воздухе, то походите внутри помещения — в коридоре, на балконе, там, где больше свежего воздуха. Это все же лучше, чем не ходить совсем.

Когда я езжу по миру со своими лекциями, часто поздно вечером хожу по коридорам и вверх-вниз по лестницам отеля. Если есть крытая галерея, то предпочитаю ее.

РАДОСТЬ ПЕШИХ ПУТЕШЕСТВИЙ

Держитесь при ходьбе естественно: голова высоко поднята, грудь развернута, живот втянут. Тело должно покачиваться в такт вашим шагам. Идите так, будто ноги начинаются от середины туловища, дышите глубоко, и вы почувствуете такой подъем, что гордо будете нести свое тело. Руки должны двигаться свободно от самых плеч.

Во время ходьбы у вас должно быть хорошее настроение и легкое сердце. Если вас не интересует окружающая природа, думайте о духовной жизни. Когда вы идете, то физическую нагрузку заменяйте духовной. Таким образом избавляйтесь от своих тревог и забот. Так же, как кровь, проходя по сосудам, очищает и питает тело, ходьба наполняет вас здоровьем, очищая ум и питая его положительными мыслями. Когда я на прогулке иду широким шагом, то говорю себе на каждый шаг: «Здоровье... сила... молодость... энергия».

Очень полезно раз в год совершить пешее путешествие в какую-либо интересную для вас часть страны, проходя в день по 20—25 километров. Таким образом вы пополните свои знания о природе страны и получите здоровое сердце.

БЕГАЙТЕ РАДИ ЖИЗНИ

Каждый день я бегаю ради жизни, так как бег помогает избавиться от сердечных приступов. Такой тип бега (трусцой) используется многими спортсменами во время тренировок. Это равномерный легкий шаг с поднятой головой, расправленными плечами и свободно опущенными руками. Боксеры, игроки в бейсбол, футболисты, другие спортсмены считают бег трусцой самым лучшим видом тренировки. Этот стандартный элемент присутствует в программах физической подготовки во всем мире.

Я бегал ради жизни ежедневно в течение 60 лет. Когда я приезжаю со своими лекциями в какой-нибудь город, то сразу же спрашиваю о близлежащем парке, где можно было бы заняться бегом. Для этого я часто ухожу на целый день, но предпочитаю раннее утро или поздний вечер. Каждый человек сам должен выбирать время, наиболее подходящее для него.

Я с удовольствием наблюдаю, что в последнее время во всем мире бег стал признанным методом борьбы за здоровое сердце во всех возрастных группах. Во многих городах есть клубы любителей бега, в которых может заниматься любой человек. Я имел удовольствие бегать с мужчинами и женщинами в Новой Зеландии, Австралии, Англии, а также во многих уголках Соединенных Штатов.

Общеизвестно, что занятия спортом очень важны для стимуляции физического и умственного развития и эмоционального настроя. Ежедневный бег, соответствующий индивидуальному физическому состоянию и возрасту, повышает выносливость, улучшает общее состояние, создает чувство благополучия, увеличивает сопротивляемость заболеваниям. Занятия спортом укрепляют сердце и увеличивают продолжительность жизни.

Однако прежде чем начать занятия спортом, необходимо посоветоваться с врачом.

ЗАНЯТИЯ СПОРТОМ – ЛУЧШИЙ СТАБИЛИЗАТОР ЗДОРОВЬЯ

Ежедневный бег, бег трусцой или быстрая ходьба — это проверенный стабилизатор здоровья. Женщинам особенно приятно бывает увидеть, что они похудели, что талия их стала тоньше и в целом улучшилось состояние здоровья. И мужчины, и женщины должны помнить, что линия талии — это линия вашей жизни!

Человек с элегантной, худощавой фигурой всегда выглядит более молодым и привлекательным. Если вы человек слабохарактерный и чувствуете, что не сможете бегать в холод и дождь, то займитесь бегом на месте, поочередно поднимая ноги на высоту около 20 сантиметров от пола. Лучше начинать спокойно, постепенно ускоряя темп и увеличивая продолжительность бега. Занимайтесь бегом там, где больше воздуха,— на крытой веранде, в коридоре, на балконе, на крыльце или, если находитесь на работе, в холле.

ЗАНЯТИЯ СПОРТОМ В ВОЗДУХЕ

То, что не используется, то теряется.

П. Брэгг

Я занимаюсь бегом даже во время авиарейсов на реактивных самолетах, в проходе между рядами. Надо научиться заниматься бегом на месте в любую свободную минуту, будь вы президентом корпорации или домашней хозяйкой. Все мы должны ежедневно заниматься спортом для поддержания тела и сердца в хорошем состоянии.

КАК НАЧАТЬ ЗАНЯТИЯ БЕГОМ

Основное правило, которому надо следовать,— тренируйтесь, но не перенапрягайтесь.

Для бега должна быть удобная обувь, с резиновой подошвой с утолщением под пяткой. Я предпочитаю губчатую подошву. Но не так уж важно, в какой обуви вы бегаете. Очень важно предохранять ступни ног и не натереть их в результате бега, но натереть ноги можно и в обуви с тонкой твердой подошвой, что может причинять постоянный дискомфорт и создает плохое настроение.

Обувь не должна быть слишком свободной или слишком тесной. Ноги часто опухают от ускорения циркуляции крови во время бега, и если обувь тесна, то могут появиться волдыри. Большое внимание обратите также на носки. Убедитесь, что в них нет ни дыр, ни штопок — главных причин раздражений и потертостей — и что они не собьются внутри обуви. Я обычно надеваю две пары носков — одни тонкие, другие более толстые, какие надевают игроки в теннис.

Лучше всего начать с бега трусцой на траве, так как она смягчает толчки, что небезразлично для людей с большим весом. Ноги выполняют тяжелую работу и требуют к себе пристального внимания, пока не привыкнут к бегу. Занятия на траве дадут возможность мускулам и связкам укрепиться и разработаться.

Кроме того, надо укрепить силу воли, чтобы проявлять ее в трудный первый период, когда дальнейшему продвижению вперед могут мешать неожиданные непривычные боли и потертости.

ЧЕРЕДУЙТЕ БЕГ И ХОДЬБУ

Вспомните старую китайскую пословицу: «Один шаг — это начало долгого пути» и начните свое путешествие к здоровому сердцу.

Самый длинный шаг, который вы можете сделать, равен приблизительно одному метру. Теперь пробегите 25, 50 или 100 метров. Любое из этих расстояний может стать вашей первой дистанцией. Если вы раньше не тренировались, то пробегайте сначала 25 или 50 метров. После того как вы пробежали выбранную дистанцию, пройдите ее три раза. Идите быстро, глубоко дыша, высоко подняв голову, развернув плечи, размахивая руками. Глубокое дыхание очень важно. Помните, что вы начали занятия спортом, чтобы дать сердцу больше кислорода.

Если вы бегаете каждый день, непрерывное давление крови на стенки сосудов придаст им эластичность, увеличив их способность сокращаться, и в результате увеличит поток крови. Простая вещь, но это положительный шаг по пути к избавлению от ненужного лишнего холестерина.

Один из крупных специалистов по сердцу в Лондоне говорил мне, что любой человек, который будет бегать 15—30 минут ежедневно в течение года, может рассчитывать удвоить объем главных артерий. Это путь к созданию мощного сердца.

Дыхательная активность (при ходьбе, беге и т. д.) требует больше энергии. Тело создает эту энергию, сжигая пищу при участии кислорода. Организм может запасать пищу, используя ее при необходимости, но он не может запасать кислород.

Большинство из нас создают достаточно энергии, чтобы совершать обычную ежедневную работу, но, когда нагрузки возрастают, организм не может справиться с перегрузками. Объясняется это тем, что средства для доставки кислорода ограничены. Это именно то, что отделяет здоровье от нездоровья.

Бег требует большого количества кислорода, который организм разносит по всем клеткам. Даже если вы не активны и слабы, простые прогулки и легкие упражнения помогут вам улучшить циркуляцию крови и обеспечить более энергичное потребление кислорода.

Здоровое сердце подобно хорошему исправному автомобилю. Оно позволяет ехать на нем далеко и быстро без поломок, но и ему нужны периоды отдыха и профилактических работ. Так же как исправному автомобилю нужна правильная эксплуатация, так и сердцу требуются хорошие условия в любом возрасте. Я нахожусь в зрелом возрасте — мне более 70 лет. Но я каждый день бегаю, и мое сердце становится все сильнее и сильнее. Я начинаю свою ежедневную программу со 100-метрового пробега, затем я эту дистанцию прохожу. После того как я разогрелся, пробегаю 200, затем 300 и 400 метров. Всегда после этого прохожу ту дистанцию, которую бежал. Таким образом, я никогда не перегружаю сердце.

СЕКРЕТ СИЛЬНОГО СЕРДЦА — ХОРОШЕЕ КРОВООБРАЩЕНИЕ

Когда какая-либо часть кровеносной системы ослабляется, миллиарды клеток тела лишаются кислорода и питания. С прекращением кровеносного питания эти клетки будут автоматически разрушены. Это может случиться в самом сердце, в мозге, в легких, в почках, коже и других частях тела.

Помните, вы теряете те клетки организма, которые бездействуют.

ПЯТЬ УПРАЖНЕНИЙ ДЛЯ УСКОРЕНИЯ КРОВООБРАЩЕНИЯ

Упражнение № 1. Ветряная мельница

(А). Станьте прямо. Носки и пятки вместе, грудная клетка развернута, живот втянут, голова поднята, руки опущены свободно. Начните вращательные движения руками вперед, вверх, назад и постепенно увеличивайте скорость вращения до максимально возможной. В первые дни делайте по 10 кругов, затем в течение нескольких дней постепенно увеличивайте их количество до 50.

(Б). То же исходное положение, что и в упражнении № 1 (А), но руки вращайте в противоположную сторону.

Упражнение № 2. Циркуляция. Строитель

(Это упражнение используют люди в холодном климате, когда хотят увеличить кровообращение в руках и верхней части тела).

Исходное положение такое же, что и в упражнении № 1. Руки подняты на уровне плеч и разведены в стороны. Правая рука ударяет по левому плечу, а левая рука в то же время — по правому плечу. Руки перекрещиваются поочередно — сначала правая над левой, потом — левая над правой. Упражнение делается очень энергично, руки после удара по плечам отводятся назад в исходное положение, выставляя вперед грудную клетку. В первые дни делайте упражнение по 10 раз, постепенно увеличивая в последующие дни до 50 раз.

Упражнение № 3. Вибрация ног

Станьте прямо, ноги на ширине плеч, руки опущены. Поднимите правую ногу на высоту приблизительно 20 сантиметров. Сделайте короткий толчок (10—15 сантиметров) вперед как можно резче. Нога должна колебаться от пятки к носку. Теперь поменяйте ноги. Стоя на правой ноге, поднимите левую и толкните ее резко вперед. Начните упражнение очень энергично, так как это будет способствовать большей циркуляции крови в бедрах, голенях и ступнях.

Упражнение № 4. Улучшение кровообращения в руках и пальцах

Стойте прямо, как в упражнении № 1. Поднимите руки перед собой, грудь вперед и сильно потрясите расслабленными кистями. Повторяю, руки должны быть обязательно расслаблены. Сделайте 15 энергичных встряхиваний обеими руками одновременно и затем сильно сожмите руки в кулак 15 раз, каждый раз разжимая и раздвигая пальцы как можно дальше.

Упражнение № 5. Кровообращение в голове

Станьте прямо, ноги на ширине плеч. Наклонитесь вперед как можно ниже, руки висят свободно и расслабленно, почти касаясь пола. В этом положении качайте головой из стороны в сторону и вперед-назад. В первые дни делайте это упражнение всего несколько раз, пока голова не привыкнет к такому упражнению.

СЕРДЦЕ НЕ ПЕРЕНАПРЯГАЕТСЯ ОТ УПРАЖНЕНИЙ

Трудности создают ум, а труд — тело.

Эти упражнения идеальны, так как они улучшают кровообращение и открывают заблокированные артерии. Кровь очищается в легких и несет кислород во все части тела.

Эти упражнения не могут принести вред нормальному здоровому сердцу независимо от того, насколько энергично вы их делаете. Ослабленные люди должны начинать выполнение упражнений медленно и осторожно, постепенно увеличивая темп и количество упражнений. Упражнения для улучшения кровообращения благотворны не только для здорового сердца, но и для больного, так же как и для любой мышцы тела. Они улучшают состояние сердца и всех мышц.

Не слушайте людей, которые пытаются отпугнуть вас от этих упражнений! Сердце — это мышца, и ее надо тренировать. Делая эти упражнения, вы создаете сильное здоровое сердце и тело!

Каждое упражнение надо делать ежедневно. Немного времени потребуется на это, всего 15—20 минут. Но потратится это время с большой пользой для укрепления сердца.

Если вы ведете сидячий образ жизни или много стоите, то должны делать эти упражнения два-три раза в день. Если вы долго ведете машину, останавливайтесь и делайте эти упражнения каждый час. Чем больше вы их сделаете, тем лучше у вас будет циркуляция крови, а следовательно, и сильнее сердце!

Дома рекомендуется совмещать выполнение этих упражнений с водными процедурами, описанными в следующей статье.

ВОДНЫЕ ПРОЦЕДУРЫ
ДЛЯ УСИЛЕНИЯ КРОВООБРАЩЕНИЯ

Эти процедуры служат для улучшения кровообращения в теле. Нужны большая щетка для спины или мочалка-варежка, кусок хорошего туалетного мыла и большое грубое полотенце.

Встаньте под душ и включите горячую воду, какую только можете терпеть. Затем намыленной щеткой или мочалкой тщательно натрите тело. Вначале натирайте тело очень аккуратно, чтобы не повредить кожу. По мере того как кожа будет привыкать, усилие можно увеличивать.

Вымыв тело горячей водой, начинайте охлаждать воду, делая ее все холоднее и холоднее, но не настолько, чтобы испытать неприятные ощущения.

Замечательный способ расслабления усталых мышц и восстановления кровообращения заключается в попеременной смене горячей и холодной воды. Направьте воду сильными струями на спину и плечи и смените несколько раз ее температуру. Я советую деловым людям, когда они приходят домой напряженными и усталыми, принять расслабляющий душ перед обедом. Он освежит и успокоит их.

СТИМУЛЯЦИЯ НЕ НАПРЯГАЕТ ТЕЛО

Помните, для расслабления тела надо менять медленно несколько раз температуру воды, делая ее каждый раз немного горячее и немного холоднее, но никогда не сверх той температуры, которую можно терпеть. Этот горяче-холодный душ — замечательный стимулятор сердечно-сосудистой системы, так как кровеносная система начинает работать в разных режимах под воздействием холодной и горячей воды. Чем больше разница температур, которую вы можете выдержать, тем благотворнее воздействие процедуры на сердце и кровообращение.

Смойте мыло горячей водой, сполосните мочалку и начните растирать ею тело, включив уже холодную воду. В первые дни растирание проводите очень осторожно, чтобы не повредить кожу. Но с каждым днем, по мере привыкания, растирайте более энергично.

Когда почувствуете легкое пощипывание кожи из-за увеличения циркуляции крови, выключите душ и возьмите большое грубое полотенце (когда полотенце станет мягким, отдайте его другим членам семьи, у которых кожа более чувствительна). Этим полотенцем в течение 10 минут вытирайте и растирайте каждый сантиметр своего тела от головы до кончиков пальцев.

Если в течение года ежедневно делать эти водные процедуры, то вы сможете вступить в клуб «Полярный медведь», члены которого, однако, не применяют полотенце для вытирания тела, а используют его только для растирания уже сухого тела. После горяче-холодного душа и энергичного массажа они сушат тело энергичным растиранием рукой. Только после того, как тело высохло, оно растирается полотенцем в течение 10 минут. После этой процедуры все тело будет гореть от быстро циркулирующей крови.

ФИЗИЧЕСКИЕ УПРАЖНЕНИЯ ПОЛЕЗНЫ ДЛЯ ПОЧЕК

> Кто не может найти время для занятий спортом, тот должен будет найти время для болезни.
>
> *Лорд Дерби*

Почки выполняют в организме роль фильтра. Они самый энергичный рабочий орган. Упражнения с наклонами и вращениями в поясе помогают стимулировать работу почек — они начинают функционировать более эффективно.

Упражнения для стимуляции почек

1. Станьте прямо, руки над головой.

Нагнитесь и попытайтесь коснуться руками пальцев ног, не сгибая коленей.

Выпрямитесь, поднимите руки над головой и наклонитесь назад как можно дальше.

2. Сцепите руки над головой и делайте наклоны поочередно вправо и влево как можно ниже.

Так как бо́льшая часть продуктов выделения организма проходит через почки, то делайте упражнения, стимулирующие почки, ежедневно, начиная с 10 и увеличивая до 50 раз каждое упражнение.

ОПАСНОСТИ НЕПОДВИЖНОГО ОБРАЗА ЖИЗНИ

Бо́льшая часть продуктов жизнедеятельности организма выделяется через почки, а двуокись углерода — через легкие. Там же кровь насыщается кислородом и снова становится ярко-красной. Затем она возвращается в сердце и прокачивается через артерии в различные части тела. Этот цикл повторяется тысячи раз в день.

Вот почему нельзя долго сидеть на одном месте. При сидячем образе жизни замедляется кровообращение и кровь застаивается. У людей, которые слишком долго сидят, может развиться тромбоз (сгусток крови) в глубоких венах голеней. Если у вас в основном сидячая работа, то надо каждый час вставать и энергично двигаться. Если вы едете долго в автомобиле, то останавливайте машину каждый час, выходите и делайте несколько упражнений. Помните, когда вы делаете упражнения, из организма удаляются яды и увеличивается циркуляция крови, улучшая питание всех клеток организма.

КАК НАДО СИДЕТЬ

Сидите правильно! Причиной большинства расстройств и вредных привычек являются скрещенные ноги. Не кладите ногу на ногу, так как при этом могут быть сдавлены подколенные артерии и может образоваться застой венозной крови. Это же может произойти, если край кресла упирается в подколенные артерии. Спина должна быть прямой, а ноги стоять на полу. При висящих ногах оказывается слишком большое давление на вены. Когда мои дети были маленькими, я подпиливал ножки у стола так, чтобы детям было удобно сидеть за столом и чтобы их ноги стояли на полу. Взрослые небольшого роста должны пользоваться скамеечкой для ног. Лучший тип кресла — это кресло-качалка, в котором вы можете сидя хорошо отдохнуть, а также, качаясь, делать упражнения.

ПОТЕЙТЕ НА ЗДОРОВЬЕ

Самый большой орган выделения в организме — это кожа с ее миллионами пор и потовых желез. Выделение пота имеет двойную цель: помогает избавить тело от загрязнений и регулирует температуру тела. Когда тело разогревается в результате активной деятельности, то приходят в действие потовые железы. Испаряющийся пот охлаждает кровь, которая достигает поверхности кожи, и таким образом предохраняет тело от перегрева. Кроме этого, удаляются из организма «шлаки», находящиеся у поверхности тела. Именно эти выделения, смешанные с грязью, находящейся на кожном покрове, придают поту неприятный запах. Если кожа чистая, то остается только хороший запах здорового тела. А поэтому не обращайте внимания на рекламы фирм, выпускающих дезодоранты.

Танцы, прогулки, езда на велосипеде, энергичная работа по дому, — любой вид деятельности, который заставляет вас потеть, улучшает сердечную деятельность и общее состояние. Интенсивные нагрузки никогда не причинят вреда здоровому человеку.

ВАШЕ ХОББИ — АКТИВНАЯ ДЕЯТЕЛЬНОСТЬ

Наш день подобен чемодану — одни люди ухитряются упаковать в него намного больше, чем другие.

Если бы я был президентом Соединенных Штатов, то издал бы закон, по которому люди, сидящие часами за картами или перед телевизором — этим «ящиком для идиотов», должны были такое же количество времени потратить на интенсивную ходьбу, с тем чтобы восстановить свое физическое состояние.

Я хочу начать крестовый поход против сидячего образа жизни, при котором замедляется кровообращение, что отрицательно сказывается на состоянии стенок кровеносных сосудов. Будьте активны. Если хотите расслабиться, то расслабляйтесь активно. Культивируйте такие виды активной деятельности, как плавание, теннис, гольф, пешие прогулки.

НЕ НОСИТЕ ТЕСНУЮ ОДЕЖДУ

Все, что нарушает кровообращение, приносит вред сердцу. Поэтому нельзя носить тесную одежду. Сюда же следует отнести тесные подвязки, корсеты (грации), которые больше стягивают, чем поддерживают, тесные пояса, тугие воротнички и галстуки, а также тесную обувь.

НЕ НОСИТЕ ТЕСНУЮ ОБУВЬ

Тесная обувь затрудняет кровообращение больше, чем тесная одежда, а именно ноги должны всегда снабжаться кровью как можно лучше. В каждой ноге расположено 26 костей — больше, чем в любой другой части тела. Когда кровь не поступает в ноги в необходимом количестве, то «шлаки» остаются там же в клетках. Вот почему у многих от ног идет неприятный запах.

Одной из причин плохой циркуляции крови в ногах, плохой осанки является тесная обувь. Обувь не должна сдавливать сосуды и препятствовать свободной циркуляции крови в ногах.

Идеальный эффект дает хождение босиком, что и надо делать при любом удобном случае. Ходьба босиком улучшает кровообращение, что способствует оздоровлению сердца.

КАК УЛУЧШИТЬ КРОВООБРАЩЕНИЕ В КОНЕЧНОСТЯХ

Сердце должно качать кровь к ногам и рукам. У большинства людей плохая циркуляция крови, и поэтому у них холодные руки и ноги. Иногда появляется даже онемение конечностей.

Я могу предложить гидротерапевтический метод стимуляции кровообращения. Он известен как холодно-горячий метод.

Возьмите два таза и наполните один горячей водой с температурой 40° С или выше (если можете терпеть). Другой таз наполните очень холодной водой и бросьте в него несколько кусков льда.

Встаньте в таз с горячей водой, а руки по локоть опустите в ледяную воду. Через две минуты повторите процедуру, но теперь уже ноги опустите в холодную воду, а руки — в горячую.

Повторите эту процедуру пять раз, затем возьмите жесткое полотенце и разотрите ноги и руки, пока они не начнут гореть.

В ЗДОРОВОМ ТЕЛЕ ЗДОРОВЫЙ ДУХ

Шекспир предвидел господствующую психологию нашего времени, когда говорил: «Именно ум делает тело богатым». Действительно, ум помогает телу так же, как и тело помогает уму.

Наша связь с космосом двойственна: она имеет духовное и физическое начало. Мы связаны с бесконечным духом жизни... Жизнь и энергия во вселенной... и эта жизнь внутри нас — наша собственная жизнь. Чтобы познать жизнь во всей полноте, мы должны постоянно помнить об этом. Это внутренняя, духовная жизнь.

Физическая жизнь связывает нас с особой частью вселенной, в которой мы живем и которую называем землей. Мы связаны с матерью-землей через пищу, которую мы едим, воду, которую мы пьем, воздух, которым мы дышим, а также через солнце с его всеохватывающей энергией. И от всего этого зависит не только здоровье нашего организма, но и продолжительность нашей жизни.

Возьмите, например, пищу, которая тесно связана со здоровьем. Кровь, с ее изумительной распределительной системой, несет все самое необходимое, обеспечивая энергией и жизнеспособностью каждую часть тела. И то, что мы едим сейчас, будет в крови через 24 часа.

Если вы едите пищу, которую приготовила сама природа, то у вас будет мощное и здоровое сердце, живой и деятельный ум. Это добавит жизнь вашим годам и годы вашей жизни.

ВЫ ТО, ЧТО ВЫ ЕДИТЕ

Пару поколений назад были известны только основные элементы пищи — белки (протеины), углеводы (карбогидраты) и жиры — первичные строительные и горючие материалы организма. Затем наука открыла, что природа создала различные регулирующие вещества — минералы, витамины, ферменты, которые также необходимы для здорового и гармоничного функционирования организма.

Нельзя оставаться здоровым, если баланс этих веществ нарушен. Однако в жизни эти нарушения происходят постоянно. Чтобы пища не портилась в магазинах, ее очищают и добавляют в нее консерванты, таким образом изменяя ее природный состав. Если пища лишается природных свойств, то в ней исчезают многие необходимые элементы, в частности витамины. Неправильное приготовление делает ее безжизненной и непитательной.

Можно сказать, что американцы — самая перекормленная и одновременно самая недокормленная нация в мире. И это главная причина сердечных приступов — этого убийцы номер один в Соединенных Штатах.

КАК ВЫ ОТРАВЛЯЕТЕ СВОЙ ОРГАНИЗМ

Если вы едите пищу, которую едят большинство американцев или жителей других промышленно развитых стран, то вы медленно, но уверенно отравляете себя. Вы едите безжизненную пищу и лишаете организм многих веществ, в которых он нуждается. И вы, вероятно, находитесь среди тех, кто ускоряет этот самоубийственный процесс, потребляя такие яды, как табак, алкоголь, кофе, чай — эту банду убийц.

Сегодня ведутся большие дискуссии о загрязнении воздуха и воды. И никто не говорит о загрязнении крови. В книге приводятся сведения, которые помогут вам сегодня же начать очищение своего организма! Для этого исключите из своего рациона питания то, что перечислено ниже, и вы избавитесь от убийцы номер один — сердечного приступа. Сердечный приступ не неизбежен, если предварительно ваш организм не был ослаблен этой бандой убийц. Не допускайте на кухню, а через нее — в вашу кровь насыщенные и гидрогенизированные жиры, соль, кофеин, жесткую воду, жареную пищу, алкоголь, табак. Избавьте себя от бурных эмоций, лени, обжорства.

НЕ ЗАБИВАЙТЕ АРТЕРИИ ТАБАКОМ, АЛКОГОЛЕМ, КОФЕ, ЧАЕМ, СОЛЬЮ И НАСЫЩЕННЫМИ ЖИРАМИ

Сосуды, по которым должна свободно течь насыщенная кислородом кровь, никогда не будут гибкими и гладкими, если кровь будет отравлена. Смолы и вредные химические вещества, содержащиеся в табачном дыме, остаются на стенках артерий. Закупоривают сосуды не только смолы. Табак, кофе, чай, алкоголь являются также мощными стимуляторами работы сердца. Эти вещества как бы подстегивают сердце, и оно начинает работать с перегрузкой. Табак в любом виде — враг сердца.

Вот что сказал доктор Лестер М. Морисон о табаке специалистам по лечению и предупреждению сердечных заболеваний: «Табак — это яд... Никотин, один из главных ингредиентов табака,— яд, действующий на мозг, сердце и другие жизненно важные органы. Растение табак находится в одном семействе с белладонной (или сонной одурью). Кроме основного яда, никотина, в нем есть и другие хорошо известные яды: угарный газ, мышьяк, деготь и другие вещества». Доктор Морисон также заметил: «Никотин — наиболее вредное вещество, которое может действовать на кровеносные сосуды человека».

Никотин является сильным наркотиком, который сужает сосуды, и без того имеющие малое сечение из-за ядовитых осадков на их стенках. Сердце курильщика подвергается двойной опасности: его кровь наполняется табачными ядами, а кровеносные сосуды сужаются, ухудшая кровообращение. Организм не имеет защиты от угарного газа (CO), который образуется при курении. Вы, конечно, слышали о людях, которые кончают жизнь самоубийством, отравляясь угарным газом. Зачем же вы, не собираясь умирать, вдыхаете этот яд?

Деготь — это тоже яд. Он является основной причиной заболевания раком легких, слизистой рта и дыхательных путей. Страшно подумать, что будет с людьми лет через 25 от чрезмерного потребления табака. Каждый курильщик подвергает себя опасности заработать болезнь, которая раньше времени сведет его в могилу.

КУРЕНИЕ И ЭМФИЗЕМА ЛЕГКИХ ИДУТ РУКА ОБ РУКУ

Другое заболевание-убийца, появляющееся в результате курения, это эмфизема легких, которая сегодня очень распространена. Действительно, медицинские отчеты показывают, что половина всех взрослых американцев страдает в какой-то степени от эмфиземы.

Это заболевание характеризуется тем, что деготь, никотин и другие разрушающие яды табака остаются в крошечных воздушных мешочках легких, стенки которых по этой причине сначала становятся очень тонкими, а затем полностью разрушаются, и кровь поэтому не может удалять ядовитую углекислоту и получать кислород. Жертва умирает от кислородного голодания.

Эмфизема убивает не сразу. Она подкрадывается к курильщику исподтишка. Сначала появляется небольшой кашель, особенно по утрам. Затем кашель начинает сотрясать его и днем и ночью. Медленно, но верно легкие разрушаются. Состояние больного постоянно ухудшается. Скоро он уже не может дышать обычным воздухом, а пользуется кислородной подушкой. В конце концов, когда легкие не могут действовать, даже получая чистый кислород, жертва умирает.

Дыхание – это наша жизнь. Мы можем прожить несколько дней без воды и недели без пищи, но мы не можем прожить даже минуты без воздуха. Воздух – основная составная часть нашего существования, а кислород – величайшая очищающая сила в природе.

Курение табака направлено против всех законов природы, и когда вы пытаетесь уничтожить законы природы, они уничтожают вас.

Чтобы функционировать, сердце нуждается в больших количествах кислорода. Любое заболевание, которое уменьшает потребление организмом кислорода, приводит к заболеванию сердца, легких и всего организма в целом.

КУРЕНИЕ УНИЧТОЖАЕТ ВИТАМИН С В ОРГАНИЗМЕ

Витамин С — один из основных природных элементов, который создает крепкое здоровье. Кроме такой важной функции витамина, как, например, излечение от цинги, он предотвращает кровотечения капилляров — самых тонких кровеносных сосудов, которые непосредственно питают клетки тела. Когда это происходит в сердце или в мозгу, то может образоваться закупорка сосудов, что приводит к фатальным последствиям. В конечностях такая закупорка может вызвать гангрену, что приводит к ампутации.

Табак нейтрализует действие витамина С, ворует у вас эту жизненную защиту. Доктор Маккормик, канадский специалист, изучающий витамин С, выявил при лабораторных исследованиях, что выкуривание одной сигареты уничтожает такое количество витамина, которое содержится в одном апельсине. Человек, выкуривающий одну пачку сигарет в день, должен, следовательно, съесть 20 апельсинов, чтобы восстановить нормальный баланс ценного витамина С в организме!

Но не только табак грабит вас, отбирая витамин С. Загрязнение воздуха наших городов и пища, которая содержит химические консерванты, также истощает запасы витамина.

БРОСЬТЕ КУРИТЬ СЕГОДНЯ ЖЕ

У многих курильщиков так укоренилась эта вредная привычка, что, как маленькие дети, они твердят себе: «Я не могу бросить курить». На это я могу только сказать: «Ерунда! Кто управляет вашим телом — табак или вы сами?»

Плоть глупа. Телом должен руководить ваш ум. И только уму оно должно подчиняться и выполнять его приказы. В моей практике я сталкивался с такими учениками, которые курили в течение 50 лет и потом смогли не постепенно, а сразу избавиться от этой привычки.

Конечно, они страдали несколько дней. Конечно, их нервы требовали никотинового допинга. Но у них была сила воли, чтобы преодолеть эти трудности. Они мужественно боролись с ужасным чудовищем, которое управляло ими, и победили.

ЭНЕРГИЯ СИЛЬНОГО ЖЕЛАНИЯ

> Силен тот, кто может победить свои
> слабости.
>
> *Бен Франклин*

Чтобы суметь изменить плохую привычку на хорошую, ваша мысль должна сопровождаться сильным чувством и желанием. Если вы хотите иметь здоровое сердце, и это желание достаточно сильное, то победите привычку к курению.

Представьте себе, как вы будете это делать, и предположите на минуту, что все это возможно. Чтобы сформировать хорошие привычки и избавиться от плохих, занимайтесь самовнушением. Внушайте себе: «Не курить!» и говорите себе снова и снова, что курение медленно убивает вас и оно — злейший враг.

Говорите себе снова и снова: «Табак в любом виде — убийца, и я покончу с этим ядом навсегда».

Повторяйте: «Я не буду курить! Я не буду курить! Я не буду курить!», и вы станете хозяином своего тела, вместо того чтобы быть рабом табака.

Вы не должны быть рабом плохих привычек, которые опасны для организма и которые могут привести к сердечному приступу. Это касается не только табака, но и кофе, чая, алкоголя, соли и насыщенных жиров.

Освободите себя от вредных привычек. Смотрите на эти яды как на врагов. Чтобы иметь сильное, здоровое сердце, надо систематически тренировать мышление. Всегда представляйте себя здоровым и молодым, полным хозяином своего тела, а не пресмыкающимся рабом каких-либо разрушающих привычек.

Избавляться от привычек, которые разрушают здоровье и тело, надо навсегда. Для этого должна быть сила воли, которая сильнее любой плохой привычки.

Скажите себе:

«Я не буду курить»,

«Я не буду пить кофе»,

«Я не буду пить чай»,

«Я не буду пить алкогольные напитки»,

«Я не буду перегружать свое тело насыщенными жирами»,

«Я не буду употреблять соль»,

«Я не буду переедать».

Повторяйте себе это снова и снова и, самое главное, верьте этому! И тогда ум будет контролировать организм. Не давайте никаким обстоятельствам ломать вашу железную волю. Никому не позволяйте «промывать себе мозги». Имейте собственное мнение по этому вопросу. Каждый разумный человек может контролировать собственные ум и тело и может избавиться от любой плохой привычки.

КОФЕ И ЧАЙ — НАРКОТИКИ

Кофе — это мощный вредный стимулятор работы сердца. В нем содержится наркотик — кофеин, который заставляет сердце биться быстрее и чрезмерно напрягает его. В кофе содержатся также смолы и кислоты, которые вредны для сердца и кровеносной системы. Они также присутствуют в кофе, из которого был удален кофеин. Уберите кофе со своего стола! В нем нет питательных веществ, витаминов, минералов. Он бесполезен как пища и пагубен для здоровья.

То же самое можно сказать и о чае, он содержит танин и другие ядовитые вещества. Не загрязняйте свою кровь чаем!

АЛКОГОЛЬ — ДЕПРЕССАНТ

Хотя алкоголь и считается стимулятором, на самом же деле он — депрессант. Он расширяет кровеносные сосуды, особенно капилляры кожи, что дает ощущение тепла и ошибочно принимается за прилив бодрости. На самом же деле алкоголь настолько расслабляет организм, что можно потерять контроль над своими действиями. Кто не видел таких «расслабленных», валяющихся в канаве? Потребление алкоголя — опасный путь для расслабления!

Хуже всего алкоголь действует на мозг и нервную систему. Он «сжигает» запас витаминов C и B — основных «нервных» витаминов. Кровоизлияние в мозг часто переходит в паралич, и медицинские исследования показывают, что бурное действие алкоголя — громкая речь, бесшабашная веселость, хвастовство — результаты начала паралича определенной части мозга.

Держитесь подальше от алкоголя! В нем нет ничего, кроме «пустых калорий», которые приводят к различным болезням, излишней полноте и в конечном счете разрушают организм.

Особую опасность алкоголь представляет для людей с сердечными заболеваниями, когда успокаивающе действует на болевые центры мозга и нервной системы. Без предупреждающих сигналов — болей — сердечный приступ, который можно было бы предотвратить, может оказаться фатальным.

ПИЩА МОЖЕТ УБИВАТЬ

Если напитки могут убивать, то может убивать и пища. Не ройте себе могилу сами!

Чтобы сердце было здоровым, кровь должна иметь хорошо сбалансированный химический состав. Девять литров крови в организме должны содержать все 60 питательных веществ, которые создают мощное, здоровое сердце. Были времена, когда человек не думал о том, что включать в свой рацион, потому что единственной пищей, которую он ел, была пища, созданная самой природой. Но потом он начал очищать и химически обрабатывать продукты, чем нанес непоправимый вред своему здоровью. Однако и теперь нетрудно правильно питаться. Просто надо исключить из своего рациона вредные продукты и есть только то, что не разрушает организм.

ПИЩА, КОТОРУЮ СЛЕДУЕТ ИЗБЕГАТЬ

Рафинированный сахар и продукты с его содержанием — джемы, желе, мармелады, мороженое, шербеты, конфеты, пирожное, жевательная резинка, безалкогольные напитки, пирожки, кондитерские, изделия, пудинги, фруктовые соки с сахаром, фрукты, консервированные в сиропе.

Кетчуп, горчица, уксус, острые соусы.

Соленые продукты, такие как картофельные чипсы, соленые орешки, соленые крекеры.

Белый рис и очищенный ячмень.

Жареное.

Насыщенные жиры и гидрогенизированные масла (враги сердца, закупоривающие кровеносные сосуды).

Продукты, содержащие хлопковое масло (если на упаковке написано, что в состав продукта входит растительное масло, выясните, что это за масло).

Маргарин (насыщенные жиры и гидрогенизированные масла).

Арахисовое масло, содержащее гидрогенизированные масла.

Натуральный кофе и кофе без кофеина, чай и алкогольные напитки.

Свежая свинина и продукты из нее.

Копченая рыба в любом виде.

Копченое мясо — ветчина, бекон, колбаса.

Мясо для ленча — сосиски, салями, солонина и любые виды мяса, содержащие нитраты и нитриты натрия.

Сухие фрукты, содержащие двуокись серы в качестве консерванта.

Цыплята, содержащие соль, сахар и любые добавки и консерванты.

Цыплята, нашпигованные различными стимуляторами, и продукты из них.

Консервированные супы (читайте этикетки, обращая внимание на содержание сахара, консервантов, крахмала, пшеничной муки).

Продукты из белой муки — белый хлеб, ржаной хлеб с добавлением пшеничной муки, яблоки, запеченные в тесте, бисквиты, лапша, вафли, макароны, спагетти, пицца, пироги, пирожные, булочки с изюмом, соусы и подливки.

Несвежие овощи и салаты, подогретую картошку.

Не занимайтесь самолечением. Результаты могут быть очень серьезными. Не принимайте без рекомендаций врача аспирин и лекарства, содержащие его, снотворные, транквилизиторы, обезболивающие средства, бромиды. После выписки врачом рецепта, надо точно следовать его рекомендациям.

ВЫРАБАТЫВАЙТЕ ХОРОШИЕ ПРИВЫЧКИ

Вы должны знать не только то, что надо выкинуть из рациона, но и то, что можно использовать в питании. Если вы поняли основные принципы правильного питания и осознали, что должны делать здоровым свое тело в содружестве с природой, то с радостью обнаружите, что не лишаетесь удовольствия вкусно поесть.

Комбинации здоровой пищи, наполненной живыми питательными веществами, почти безграничны. Вы должны взять в привычку есть для здоровья. Такую привычку надо выработать, так как инстинктивное чувство выбора задавлено многими годами потребления искусственной пищи. Это естественное чувство может быть восстановлено, если начать питаться натуральными продуктами. Как и любое другое мастерство или способность, это умение нужно развивать и поддерживать, иначе оно опять исчезнет. Только постоянная тренировка может оживить и усилить эти способности.

Дегенеративные заболевания происходят от полного расстройства организма, а не от внешних причин, хотя повторно эти заболевания могут стать результатом ослабления защитных функций организма.

Так как дегенеративные заболевания возникают из-за отсутствия жизненно важных элементов, то нужно восстановить эти элементы, и они дадут энергию для улучшения сопротивляемости организма. Организм такого человека подобен крепости.

Внутренние функции организма одного человека делают сильным, а другого — слабым. Организуйте внутренние силы так, чтобы вы были устойчивы к любым внешним воздействиям.

Позвольте мне снова сослаться на выдающегося специалиста, доктора Лестера Морисона, который утверждает следующее: «При дегенеративных заболеваниях сердца и кровеносных сосудов диета — это основное: она ставит границу между хорошим здоровьем и опасным заболеванием».

ВНУТРЕННЯЯ ЧИСТОТА ОРГАНИЗМА

Чтобы иметь чистые эластичные сосуды и хорошее кровообращение, надо не только правильно есть, но и правильно пить. Жидкости, которые поступают в организм, должны быть чистыми и питательными.

Я считаю, что каждый человек должен в день выпивать по шесть-восемь стаканов дождевой или дистиллированной воды. Дождевая вода — идеальное питье для человека. Это чистая дистиллированная вода. Если нельзя достать дождевой воды, то надо покупать в аптеке дистиллированную воду.

Дождевая и дистиллированная вода не содержат неорганических веществ, которые могут откладываться на стенках сосудов. В отличие от нее ключевая и речная вода содержат неорганические вещества, которые ни при каких обстоятельствах не могут раствориться в организме. Они разъедают кровеносные сосуды так же, как и железные трубы в доме, по которым вода протекает.

ЖЕСТКАЯ ВОДА ДЕЛАЕТ АРТЕРИИ ХРУПКИМИ

Человеческий организм имеет обширную кровеносную систему. Здоровое сердце должно сообщаться с чистыми артериями, чтобы кровь свободно протекала по ним, давая сердцу возможность работать ритмично и эффективно.

Но предположим, что человек пьет только жесткую воду (это делает большинство из нас). Тогда на внутренних стенках сосудов откладываются неорганические вещества, которые не усваиваются организмом. Это означает, что количество крови, достигающей сердечной мышцы, уменьшается. Когда количество крови становится ниже определенного уровня, пораженные болезнью части сердца не могут больше функционировать. Когда какая-либо часть сердечной мышцы перестает работать, начинается сердечный приступ, который может привести к смерти.

Такие закупорки могут образоваться как в артериях, так и в других сосудах. Если они образуются в сосудах, идущих к мозгу, то могут наступить серьезные нарушения, грозящие параличом.

При атеросклерозе артерии становятся жесткими и хрупкими, теряя эластичность и гибкость из-за отложений на внутренних стенках сосудов. Сосудистая система может быть так заблокирована, что кровь, несущая кислород и питание клеткам тела и его жизненно важным органам, не сможет по ним пройти или поток ее становится недостаточным.

Большинство людей считают, что артерии становятся жесткими с возрастом. Но календарные годы не откладывают неорганические вещества в сосудах. Время не токсично, время — не сила, которая угрожает телу. Время — это мера, и не более того. Не считайте возраст виновником всех ваших трудностей! Виновником вы можете считать только себя самого, если вы не заботитесь о своем уникальном организме, которым природа вас наградила.

РАЗНИЦА МЕЖДУ ОРГАНИЧЕСКИМИ И НЕОРГАНИЧЕСКИМИ ВЕЩЕСТВАМИ

Неорганические вещества пассивны, а это означает, что они не могут усваиваться организмом.

Органические вещества — это элементы живой природы, 16 из них — основные составляющие элементы человеческого организма. Фрукты и овощи до того, как были собраны, жили своей жизнью, и это значит, что мы потребляем живую субстанцию. То же можно сказать и о животной пище, рыбе, молоке, яйцах. Животные получают органические вещества от растений. Люди же получают их от растений и от животных. И только живые растения способны извлекать неорганические вещества из почвы и преобразовывать их в вещества органические. Ни животное, ни человек не могут делать ничего подобного. Если бы вы были выброшены на необитаемый остров, где ничего не растет, то умерли бы от голода. Хотя почва под ногами содержит все 16 необходимых организму веществ, человек не может их усвоить. Органические вещества жизненно необходимы, благодаря им мы живы и здоровы, но неорганические — могут убить нас.

Много лет назад я был с экспедицией в Китае во время засухи и голода. Я видел своими глазами умирающих от голода людей, которые ели землю, чтобы как-то смягчить муки голода. Они умирали мученической смертью, потому что не могли извлечь питательные вещества из неорганических соединений.

НЕОРГАНИЧЕСКИЕ ВЕЩЕСТВА В ВОДЕ ВРЕДНЫ ДЛЯ ЗДОРОВЬЯ

Мелочи подобны сорнякам — чем дольше мы их не замечаем, тем больше они разрастаются.

В течение многих лет я слышу разговоры о том, что те или иные водные источники богаты многими веществами. О каких веществах идет речь? Органических или неорганических? Неорганические вещества вызывают образование камней в почках и желчном пузыре и кислотных кристаллов в артериях, венах, суставах и других частях организма.

Я рос и воспитывался в Вирджинии, где люди пили жесткую воду, сильно насыщенную неорганическими веществами, такими как натрий, железо, кальций. Многие мои родственники и друзья умерли от заболеваний почек. Почти все эти люди преждевременно состарились и умерли из-за того, что неорганические вещества оседали на внутренних стенках артерий и вен, делая их твердыми и ломкими. Один мой дядя умер в известной больнице Джона Хопкинса в Балтиморе, штат Мериленд, когда ему было всего лишь 48 лет. После вскрытия врачи обнаружили, что его артерии стали жесткими, как будто были сделаны из глины, — настолько их пропитали неорганические вещества.

ДОЖДЬ И ФРУКТОВЫЕ СОКИ — ЭТО НАТУРАЛЬНАЯ ДИСТИЛЛИРОВАННАЯ ВОДА

Ни одной новой капли воды не упало на Землю со дня ее сотворения. Вода в природе совершает свой непрерывный круговорот. Круговорот воды в природе — это величайшее чудо, благодаря которому воды Земли постоянно очищаются с помощью дистилляции. Солнце испаряет воду. Она собирается в тучи, затем идет дождь и выпадает роса — это чистая, совершенно чистая вода, абсолютно свободная от всех неорганических веществ...

Много лет назад мы с Дугласом Фербенксом, моим закадычным другом, странствовали по островам южных морей в течение нескольких месяцев. Во время путешествия мы попали на остров, населенный прекрасными, здоровыми полинезийцами, которые никогда не пили никакой воды, кроме дистиллированной, так как остров окружен Тихим океаном, а морская вода непригодна для питья из-за высокого содержания в ней солей. Этот остров представлял собой пористый коралл, который не мог удерживать воду, и поэтому жители должны были пить только дождевую воду или свежую жидкость зеленых кокосовых орехов. Я никогда раньше не видел таких красивых мужчин и женщин. На нашей яхте было несколько врачей, которые тщательно обследовали пожилых людей, и один из специалистов сказал, что никогда в жизни не видел таких хорошо сохранившихся людей. Эти островитяне совершенно не знали, сколько им лет, потому что в их языке не существует такого понятия. Они никогда не празднуют дней рождения и как бы не имеют возраста. Они молоды телом, и пожилые люди исполняли прекрасные национальные танцы так же хорошо, как и молодежь. Это были великолепные представители человеческого рода, всю свою долгую жизнь они пили только дождевую дистиллированную воду.

Если вы пьете дождевую или снеговую воду, свежий фруктовый или овощной сок, помните, что эти жидкости очищены природой. Дождевая или снеговая вода чиста на 100 процентов, т. е. в ней полностью отсутствуют минеральные вещества. Свежие фруктовые и овощные соки содержат природно чистую дистиллированную воду с добавлением некоторых питательных веществ, таких как натуральный сахар, органические вещества и витамины.

ПОЧЕМУ Я ПЬЮ ТОЛЬКО ДИСТИЛЛИРОВАННУЮ ВОДУ

> Странно: многие люди пьют и едят все, что перед ними поставят, но очень внимательно проверяют масло, залитое в их автомобиль.

Говорят, что дистиллированная вода — мертва, что рыба в ней жить не может. Конечно, рыба не может жить в дистиллированной воде, так как ей нужна пища, которой нет в этой воде.

Другое ошибочное мнение о дистиллированной воде заключается в том, что она вымывает органические вещества из организма. Это не только ложь, это совершенный абсурд.

Дистиллированная вода помогает растворить убийственные яды, которые собираются в организме человека. Она помогает пропустить эти яды через почки, не оставляя в них песка и камней.

Дистиллированная вода — самая чистая вода, которую человек может получить. Каждое жидкое лекарство во всех аптеках мира готовится на дистиллированной воде. Она используется также во многих сотнях случаев, когда необходима абсолютно чистая вода.

Дистиллированная вода — вода мягкая. Если вы вымоете голову в дистиллированной воде, то почувствуете, какими мягкими стали волосы.

В тысячах домов есть приборы, смягчающие воду для домашних нужд, потому что жесткая вода не годится ни для мытья, ни для стирки белья. Пожалуйста, не пейте воду, прошедшую обработку в этих устройствах, так как такая вода содержит соли и другие химические вещества.

В мой дом в Голливуде дистиллированную воду для всех наших семейных нужд привозят в 20-литровых бутылях. Есть дистиллированная вода и у меня на работе. Если вы будете пить исключительно дистиллированную воду в течение года, то уже никогда не сможете пить снова жесткую воду.

ХИМИЧЕСКАЯ СБАЛАНСИРОВАННОСТЬ ТЕЛА

> *Жизнь — самый крупный результат химии.*
>
> *В. И. Майо*

Теперь я хотел бы посоветовать, какой структуры питания надо придерживаться, чтобы быть здоровым, иметь выносливое сердце и долго жить.

Составляя меню, внимательно следите, сбалансирован ли рацион. В нем непременно должны быть:
— белки (протеины) — одна пятая;
— жиры, крахмалы, сахара — одна пятая;
— фрукты и овощи — три пятых.
Сырые и правильно приготовленные фрукты и овощи — наиболее здоровая пища для человека.

БЕЛКИ — СТРОИТЕЛЬНЫЙ МАТЕРИАЛ ОРГАНИЗМА

Белки (протеины) — один из наиболее важных элементов питания. Они необходимы для создания каждой клетки организма. Чтобы сердце было здоровым и сильным, нужны белки.

Мускулы, кровь, кости, сердце, кожа, волосы — все части организма по существу состоят из белков. Основная функция организма — преобразовать пищу в живые ткани,— одно из чудес самой жизни. Связь между белками и тканями тела осуществляют аминокислоты. Когда они попадают в кровь, то разносятся по всему телу, где восстанавливают, перестраивают и сохраняют живые ткани, создают богатую необходимыми веществами красную кровь и улучшают состояние различных органов тела, включая сердце. Без белков мы были бы безнадежными калеками.

Белковая пища — это мясо, рыба, орехи, птица, зерна и семена (подсолнечник, тыква и др.), пивные дрожжи, пшеница, соя, молочные продукты.

МЯСО И МОЛОЧНЫЕ ПРОДУКТЫ

> Важно не то, где ты находишься, а
> то, куда движешься.

Говядина, баранина, телятина естественно богаты и жирами, и холестерином. Вот почему я не рекомендую есть мясо более трех-четырех раз в неделю. Средний американец ест свинину на завтрак, мясной бутерброд во время ленча, бифштекс или ростбиф на обед; все это — пища, наполненная мертвыми холестериновыми насыщенными жирами.

Наиболее дорогие, отборные сорта мяса имеют очень высокое содержание жиров, часто жирность мяса специально увеличивается. Поэтому покупайте более дешевые сорта — это как раз то, что надо. Перед приготовлением срежьте жир и готовьте мясо на решетке, чтобы растапливающийся жир не впитывался обратно в мясо. Не ешьте жареную пищу, так как это приводит к нарушению пищеварения и тяжелым сердечным заболеваниям. Большие куски мяса на сковороде в шипящем жиру — враги вашего сердца и всего организма.

Вместо жирной подливки мясо может быть приправлено травами, чесноком, луком, томатами, грибами и т. п. Гарниром к мясу могут быть различные, нарезанные в любой форме сырые овощи (например, салат, петрушка, сельдерей, морковь, редис, сладкий перец, огурец). За пять минут до окончания приготовления мяса хорошо добавить к нему банан, нарезанный вдоль, или дольки яблока, чтобы придать приятный вкус блюду.

По сравнению с мясом рыба, как правило, исключительно маложирный протеин. Лучше всего покупать живую рыбу, так как она и вкусна, и не вредна для здоровья.

Из птицы лучше всего есть цыплят и индеек, являющихся источником животных протеинов и имеющих обычно низкое содержание жиров и холестерина, а утку и гуся лучше не есть — в них слишком много жира. Наибольшее количество жира содержится в шкуре и гусиных потрохах, поэтому их вообще не следует употреблять.

Если вы любите яйца, то ограничьтесь тремя-четырьмя штуками в неделю. Имейте в виду, что желток яйца содержит холестериновые жиры в концентрированном виде.

Молоко должно быть забыто даже при маложирной пище, молочные продукты также — ведь они содержат жиры, если только не приготовлены из обезжиренного молока. Сыры содержат большое количество жиров; поэтому следует ограничить их количество в рационе или не есть совсем. Сыр и даже творог не надо есть также и потому, что для их производства используют различные химические вещества, так что это не натуральные продукты.

КАРБОГИДРАТЫ — ЭТО КРАХМАЛЫ И САХАРА

Крахмалы и сахара, называемые карбогидратами, являются основным источником пищевой энергии. Образно говоря, карбогидраты — это горючее для мускульной работы и источник физической активности. Их избыток, не используемый как энергия, преобразуется организмом в жиры и запасается в наименее активных частях тела.

Карбогидраты с помощью фотосинтеза образуются в растениях как простые сахара, затем, преобразованные в крахмалы, потребляются человеком и еще раз преобразуются в организме в простой сахар (глюкозу) для использования клетками тела. Поэтому необходимо есть только натуральные крахмалы и сахара и избегать употребления продуктов (белая мука, рафинированный сахар и т. п.), истощающих жизненные силы организма.

Натуральные крахмалы и сахара имеются во всех свежих фруктах и овощах, в неочищенном сахаре, меде, кленовом сиропе, сорго и черной патоке, в зернах пшеницы, овса, ржи и т. д., в цельной зерновой муке, сухих бобах и горохе, цельном коричневом рисе, картофеле. Все натуральные продукты содержат некоторое количество карбогидратов.

КАК ВЫБИРАТЬ ЖИРЫ

Жир также является источником энергии. Он имеет вдвое бо́льшую энергетическую способность, чем карбогидраты или протеины. Как уже указывалось в программе здорового сердца, организму необходимо определенное количество жиров, так же как и холестерина. Но, напоминаю еще раз, они должны пополняться в основном за счет ненасыщенных жиров, а количество насыщенных жиров должно быть минимальным.

Именно насыщенные жиры перегружают наше тело холестерином. Холестерин, как уже говорилось, является жирной субстанцией, постоянно вырабатываемой печенью и необходимой для нормального функционирования организма. Но когда кровь перегружается холестерином, то ее поток образует воскообразные отложения на стенках артерий, которые нарушают кровообращение.

ФУНКЦИЯ ЖИРОВ В ТЕЛЕ

Нервы, мускулы, внутренние органы должны быть защищены нормальным количеством жира. Если бы, например, на ягодицах не было жира, то мы не смогли бы сидеть.

Желающие похудеть должны уменьшить в своем рационе количество жиросодержащих компонентов, а те, кто хочет поправиться, – увеличить их. Но даже в первом случае нельзя полностью отказываться от жиров, так как они играют важную роль в химическом балансе организма.

Жиры в организме являются источником тепла и энергии и обеспечивают защиту внутренних жизненно важных органов (например, почек) от холода и различных повреждений. Жир обеспечивает также клетки так называемыми ненасыщенными жирными кислотами, без которых кожа была бы грубой и шершавой. Наиважнейшей биологической ценностью жиров является то, что они содержат витамины A, D, E и K. Таким образом, чтобы тело было здоровым, в пищу необходимо включать определенное количество жиров.

Ненасыщенные жиры – да! Насыщенные жиры – нет!

ПРЕСТУПЛЕНИЕ ТОРГОВЛИ ПРОТИВ АРАХИСОВОГО МАСЛА

> Вы — это то, что вы едите. Как вы едите сегодня, так завтра вы будете себя ощущать.

Арахисовое масло — замечательный продукт. Оно богато комплексным витамином В, пищей для нервов. Его называют «золушкой» в питании, так как он один из самых дешевых высокопитательных продуктов, какие только бывают. В старые добрые времена арахисовое масло было натуральным, негидрогенизированным и ненасыщенным.

Но на теплых полках магазинов это натуральное масло соединяется с кислородом и становится прогорклым. Чтобы не разориться, производители арахисового масла добавляли в этот замечательный продукт насыщенный, гидрогенизированный твердый жир, и даже соль в качестве консерванта. Затем они рекламировали его, утверждая, что их арахисовое масло всегда свежее. Конечно, оно свежее, но за счет искусственного процесса гидрогенизации! Производители этого арахисового масла говорили, что оно легко усваивается, дольше сохраняется и очень подходит современной домашней хозяйке — в самом деле, ведь она так легко позволяет торговцам обводить себя вокруг пальца.

ЗАЩИТНАЯ ПИЩА — ОВОЩИ И ФРУКТЫ

> Питание непосредственно воздействует на рост, развитие, воспроизводство, самочувствие, а также физическое и умственное состояние личности. Здоровье зависит от питания больше, чем от любого другого фактора.
>
> *Д-р Себрел*

Как уже говорилось, три пятых пищи должны составлять фрукты и овощи — сырые, в салатах и десертах, правильно приготовленные. Они не только дают витамины и органические вещества, но и добавляют большой объем и влагу, требуемые для правильного функционирования организма. Они также помогают поддерживать щелочную реакцию в организме и придают пище разнообразие, вкус, цвет и структуру.

В овощах нет жира и холестерина. Сырые салаты и гарниры к мясу обеспечивают организм витаминами и минералами. Правда, когда овощи готовятся на огне, то некоторые витамины и минеральные вещества теряются.

Свежеприготовленный овощной сок является идеальным источником витаминов и минеральных веществ в ежедневном рационе. Лучше всего пить смесь морковного и свекольного соков с соком петрушки, но можно комбинировать любые другие овощные соки, которые также очень вкусны.

ВАЖНОСТЬ ЛЕЦИТИНА

Печень, кроме образования в организме холестерина, создает также важную питательную субстанцию, называемую лецитином. По моему мнению, лецитин является одним из важнейших даров природы. Он смешивается с желчью в желчном пузыре и поступает с ней в тонкую кишку, чтобы помочь переваривать жиры, когда те покидают желудок. Лецитин — мощный агент, который разбивает жиры на мелкие части определенного размера и качества.

Самый богатый источник лецитина — соя, но найден он также в других продуктах, которые содержат жир (например, зародыши различных зерен). Имеющийся в продаже лецитин используется в различных областях, в частности он применяется в качестве смазки в очень точных механизмах, а также используется в кондитерском деле.

НАРОДЫ, КОТОРЫЕ УПОТРЕБЛЯЮТ ЛЕЦИТИН, ПРАКТИЧЕСКИ НЕ ИМЕЮТ СЕРДЕЧНЫХ ЗАБОЛЕВАНИЙ

В 1910 году, когда я был одним из сотрудников журнала Бернара Макфеддена «Физическая культура», меня послали в экспедицию в Маньчжурию (Китай). Это — настоящий край сои. Многие тысячи лет китайцы ели в основном ее. Она составляла в той или иной форме приблизительно 80 процентов их пищи.

Там, к моему удивлению, я также нашел множество людей, которые, подобно Зоре Агхе из Турции, жили неправдоподобно долго. Можно было встретить мужчин и женщин в возрасте 125—135 лет. Среди этих людей сердечные приступы, инсульты, параличи, коронарные тромбофлебиты и дегенеративные заболевания артерий были практически неизвестны.

Потребление сои в различных видах означает, что организм получает большое количество лецитина, который гомогенизирует жиры и, таким образом, нормализует их уровень в крови.

СОЕВЫЙ ПОРОШОК
ДЛЯ ЗДОРОВОГО СЕРДЦА И НЕРВОВ

Я рекомендую сою в виде порошка для людей, считающих себя здоровыми.

Лецитин, которым очень богата соя, важен не только для переваривания жиров — он найден как в нервных, так и в других клетках организма. Нормальная работа нервной системы и желез в значительной степени зависит от наличия в организме фосфолипида, одного из важнейших компонентов лецитина.

Известно, что нервные люди и люди умственного труда «сжигают» больше лецитина, чем флегматики, поэтому нуждаются они в нем больше.

Наука питания учит, что нервной системе каждый день нужны лецитин и комплексный витамин В.

ЦЕННОСТЬ НЕОБРАБОТАННЫХ
ПШЕНИЧНЫХ ЗАРОДЫШЕЙ
И ВИТАМИНА Е

Природа вложила в зерно пшеницы зародыши, которые содержат один из наиболее ценных витаминов — витамин Е. И цивилизованный человек должен воспользоваться ими, чтобы вернуть себе крепкое здоровье, которое он потерял из-за девитаминизированной пищи.

Доктор Куретон из Иллинойского университета, известный авторитет в области физического воспитания, очень рекомендовал проросшую пшеницу, пшеничное зерновое масло и капсулы витамина Е для поддержания хорошей формы не только спортсменам, но также тем, кто желает быть физически развитым. Тренеры всего мира следуют этому совету для достижения спортсменами высоких результатов.

По моему мнению, проросшая пшеница, пшеничное масло и витамин Е должны быть включены в рацион каждого человека, а не только спортсмена.

В очищенной белой муке пшеничные зародыши удалены. Мельники знают, что пшеничные ростки находятся в маслянистой хрупкой природной оболочке и быстро портятся, а продаваемые продукты должны долго храниться на полках магазинов.

Миссис Домашняя Хозяйка надеется, что все, что она ни купит, никогда не испортится. Вот почему так много в Америке рафинированных продуктов; вот почему более 700 химических веществ используются в качестве консервантов.

Живая пища очень быстро портится, а мы так невежественны и глупы почти до идиотизма, позволяя портить продукты так называемой очисткой, или рафинированием. Мы покупаем и едим оставшийся истощенный, девитаминизированный продукт. Природа этого не выдерживает, а наше сердце и тело — страдают.

Природа может и построить, и восстановить, если ей не мешать. Для нас так важно понять и сохранить прекрасную гармонию нашего организма, который природа так щедро снабжает строительным материалом.

ЛЮБИМЫЙ НАПИТОК БОДРОСТИ БРЭГГА

По утрам, когда я ем кашу из цельного зерна, то добавляю в нее ломтики банана, мед и соевое молоко, для приготовления которого полную столовую ложку чистого соевого порошка смешиваю с половиной стакана холодной дистиллированной воды. Это настолько же приятно на вкус, насколько и полезно для здоровья!

Еще более приятна смесь, которую я пью один раз в день и которая у нас в доме называется любимым напитком бодрости Брэгга. Вот его рецепт:

— чайная ложка пивных дрожжей;
— чайная ложка чистой ванили;
— две столовые ложки чистого соевого порошка;
— банан или любой спелый фрукт (по сезону);
— чайная ложка меда;
— столовая ложка лецитинового порошка.

Добавьте к вышеперечисленным ингредиентам холодную дистиллированную воду или сок двух-трех апельсинов и все тщательно перемешайте миксером.

Пейте этот вкусный, здоровый, полный энергии напиток; и он наполнит вас бодростью и интересом к жизни. По существу — это еда, и я обычно выпиваю этот напиток на завтрак, во время ленча или днем в любое время.

НЕОБХОДИМОСТЬ КАЛЬЦИЯ ДЛЯ ОРГАНИЗМА

У большинства людей слово «кальций» ассоциируется с зубами и костями, что, конечно, правильно, так как нехватка этого важного минерала принесет серьезные осложнения для зубов и костей. Но кальций также важен для нервов, и многие люди страдают от судорог в ногах из-за его недостатка.

Кальций играет очень важную роль в функционировании человеческого организма, способствуя свертыванию крови. Если не будет кальция в крови, то, уколов палец булавкой, можно истечь кровью. Сердце — наиболее мощный мускул в организме — требует достаточного для нормального функционирования количества кальция. Имейте в виду, что 85 процентов американцев страдают от недостатка кальция!

МОЛОКО — ПЕРЕНОСЧИК НАСЫЩЕННЫХ ЖИРОВ

> Когда вы поймете, что каждая клетка тела — это небольшая фабрика, которая нуждается в постоянной подзарядке через пищу, которую вы едите, вы начнете реально думать о качестве продуктов питания.
>
> *Д-р И. Д. Нолан*

Почти каждый думает, что если пить молоко, то проблема недостатка кальция в организме будет решена. Это совершенно не так хотя бы потому, что все молоко, как правило, пастеризуется, что уменьшает количество молочного кальция.

Доктор Харольд Д. Линч — автор научных трудов, исследователь и врач из Индианы — сказал недавно, что «почти фанатичное использование молока добавило больше осложнений для детского питания, чем принесло пользы». По его мнению, молоко может быть первичной причиной неполноценности детской пищи.

Чтобы как следует использовать химический кальций, организм должен иметь в пропорциональных количествах фосфор и витамины A и D, которые увеличивают способность тела поглощать кальций.

Мы установили, что цельное молоко является переносчиком большого количества насыщенных жиров (холестерина). Потребление его в чрезмерных количествах может привести к атеросклерозу. По моему мнению, пища, полезная детенышам животных и детям, не должна употребляться взрослыми, если они хотят иметь здоровое сердце!

Есть несколько очень хороших источников кальция помимо молока, наилучшими из которых я считаю необработанную костяную муку, яичную скорлупу, раковины устриц и кальций костного мозга. Кроме того, он найден в кукурузе и пшенице. Как указывает доктор Линч, все натуральные продукты содержат значительные количества кальция.

ПРАВДА О СОЛИ

Используете ли вы в качестве приправы едкий натрий? Или хлор – ядовитый газ? «Нелепый вопрос,– скажете вы.– Таких дураков нет». Конечно нет. Но все дело в том, что большинство людей не знают, что эти ужасные вещества образуют соль.

В течение многих веков выражение «соль земли» использовалась как емкая фраза для обозначения чего-то хорошего и существенного. Ничего не может быть более ошибочного. Этот ужасный продукт, которым вы пользуетесь каждый день, может в действительности похоронить вас.

Обдумайте эти поразительные факты:

1. Соль не пища! Использовать соль в кулинарии – это все равно, что применять хлористый кальций, барий, калий или любой другой химикат.

2. Соль не может быть переварена, усвоена организмом. Она не имеет питательной ценности! Она не имеет витаминов, органических веществ, не обладает никакой питательной ценностью! Соль может причинить вред почкам, мочевому пузырю, сердцу, артериям, венам и кровеносной системе.

Она заставляет ткани организма запасать в больших количествах воду, вызывая отеки.

3. Соль может действовать как сердечный яд. Она увеличивает возбудимость нервной системы.

4. Благодаря соли организм лишается кальция. Она раздражает слизистые желудка и кишечного тракта.

ВЛИЯНИЕ СОЛИ НА ДАВЛЕНИЕ КРОВИ

От чего повышается кровяное давление? Медицинской науке известно много причин: стрессы, напряжения, токсичные вещества (например, никотин, бензиновые испарения, пищевые добавки, продукты побочных эффектов от лекарств и индустриализации). Что можно сделать, чтобы защитить себя от этих воздействий? Надо, насколько это возможно, исключить многие из этих страшных агентов из окружающей среды!

Однако главная причина высокого давления — обычная столовая соль. Выше высказано мнение о причинах высокого давления у «нормальных» людей. А как же действует соль на миллионы людей с избыточным весом? Это очень интересный вопрос для исследования, так как известно, что избыточный вес часто сопровождается высоким кровяным давлением. Есть ли связь между кровяным давлением тучного человека и потреблением им соли? Медицинские светила говорят: «Да».

МИФ О НЕОБХОДИМОСТИ ПОТРЕБЛЕНИЯ СОЛИ

Является ли пища с малым содержанием соли недостаточной для организма? Не нуждается ли человек в большем количестве соли, чтобы быть здоровым? Именно такова общепринятая точка зрения. Ходят слухи, что часто животные пробегают многие километры, чтобы «полизать соль». Я исследовал эти места и единственное, чего я не нашел, так это обычной соли. Там не было ни органических, ни неорганических соединений натрия, но были в большом количестве органические и питательные вещества, необходимые животным.

СОЛЬ НИЧЕГО
НЕ ДАЕТ ЧЕЛОВЕКУ

Часто говорят, что соль — это основа жизни. Однако это ничем не подтверждается. Целые народности совершенно не пользуются и никогда раньше не пользовались солью. Если бы соль была основой жизни, они давно бы уже вымерли. Но они не только живы, но и намного здоровее, чем другие нации. Это говорит о том, что соль не является необходимым продуктом.

СОЛЬ СОВЕРШЕННО НЕ НУЖНА
В ЖАРКУЮ ПОГОДУ

В последние годы много говорят об употреблении соли в жаркую погоду. Существует мнение, что организм теряет много соли с потом и что эта потеря должна быть компенсирована, иначе появится большая слабость и неспособность продолжать нормальную деятельность. Так, рабочим в горячих цехах советуют принимать солевые таблетки. Я видел принимавших эти таблетки, а также тех, которые заболели после этого. Часто после приема этих таблеток появляются токсичные реакции. Рвота и несварение желудка — наиболее характерные признаки отравления.

Я полностью отказался от этих таблеток. У меня есть дом в пустыне Колорадо в Калифорнии. С июня до октября там стоит ужасная жара с температурой 45—55 градусов по Цельсию, но я никогда не пользуюсь в это время солью и считаю, что могу превзойти в выносливости любого человека в этой жаре. Пусть он пользуется любыми солевыми таблетками, которые пожелает. Я обойдусь без соли и уверен, что одержу победу, выдержав любые испытания на выносливость.

Путешествуя в тропиках, я встречал много первобытных племен, которые не знали, что такое соль, но в то же время не страдали от жары, тогда как употреблявшие соль белые люди неизменно жаловались на нее. Это ясно показывает, что за компанией «ешьте больше соли в жаркую погоду» лежат коммерческие мотивы.

ВЛИЯНИЕ СОЛИ НА ЖЕЛУДОК

Важным аргументом против употребления соли является то, что она мешает нормальному пищеварению. Пепсин, или энзим, найденный в соляной кислоте желудка, является основой для переваривания белков. При употреблении соли используется только 50 процентов пепсина. Очевидно, что в таких условиях белковая пища не переваривается или переваривается очень медленно. И как результат — чрезмерное разложение белков, газообразование и нарушение пищеварения.

ОТ СМЕРТЕЛЬНОЙ ПРИВЫЧКИ К СОЛИ НАДО ОТВЫКАТЬ

Люди не должны добавлять в пищу соль, если они раньше не употребляли ее. Вкус к соли приобретается. Когда ее исключают из пищи даже на короткое время, то привычка к ней исчезает. Только в течение первых нескольких недель после того, как ее перестают добавлять в пищу, чувствуется ее отсутствие. Многие мои ученики, которые избавились от этой привычки, пишут мне, что теперь они не могут есть соленую пищу! Когда кому-то из них приходилось съесть соленую еду, то это вызывает жажду.

Многие выдающиеся специалисты по сердцу одобряют бессолевую диету. Для удовлетворения привычки к соли пользуются ее замечательными заменителями, в которых нет натрия. В доме Брэгга используют, например, молотые морские водоросли, травы и овощные приправы.

МОРСКИЕ ВОДОРОСЛИ — ЗАМЕЧАТЕЛЬНЫЙ ЗАМЕНИТЕЛЬ СОЛИ

По моему мнению, морские водоросли — идеальный заменитель соли. Они придают салатам, овощам, мясу и рыбе острый привкус.

Есть также множество трав, которыми можно приправить пищу вместо обычной соли. Например, чистый чесночный порошок — прекрасная приправа. Лимонный сок хорош для придания отличных вкусовых свойств мясу и рыбе.

Воспользуйтесь уроками знаменитых французских поваров! Замечательный вкус известных во всем мире французских блюд достигается добавлением в них лука, чеснока, грибов и трав при полном отсутствии соли! Лучшие французские повара используют очень мало жиров и очень мало соли, а некоторые не пользуются солью вовсе!

ВКУСОВЫЕ РЕЦЕПТОРЫ ВСЕ ВАМ СКАЖУТ

После исключения из пищи соли вы почувствуете ее настоящий вкус. Я родился и вырос на Юге, где пищу обильно приправляли солью. Мои 260 вкусовых рецепторов были приучены к ее тяжелому вкусу.

В 16 лет я заболел туберкулезом и был помещен в швейцарский санаторий. Доктор Роллье, который руководил этим санаторием, был против применения соли в пище. Сначала мои вкусовые рецепторы бунтовали, но соли не было, и они стали привыкать к бессолевой диете.

Любую плохую привычку трудно сломить вначале, и поэтому привычка к соли держала меня в своих когтях, но вот однажды я впервые в жизни порадовался вкусу настоящей натуральной пищи.

После этого я не мог есть соленую пищу, мне не хотелось бывать в ресторанах, где пища сильно посолена. Но я нашел выход. В ресторане я теперь прошу: «Не солите мою пищу». Я заказываю салат из свежих овощей и другие блюда, приготовленные по моим рекомендациям, — и все без соли!

Некоторые люди предпочитают пользоваться морской солью вместо обычной. Но между ними нет абсолютно никакой разницы. Обе они — неорганические: и та и другая содержат хлористый натрий.

После исключения соли из пищи все 260 вкусовых рецепторов становятся очень чувствительными и отказываются от соленой пищи. Вы начинаете радоваться вкусу натуральной пищи.

НАТУРАЛЬНАЯ ПИЩА СОДЕРЖИТ ПОЛЕЗНЫЙ ОРГАНИЧЕСКИЙ НАТРИЙ

Органический натрий — одно из 16 веществ, которые необходимы для установления совершенного минерального баланса в человеческом организме. Натрий есть во всех фруктах и овощах, особенно в свекле и сельдерее. Можете быть уверены, что, пользуясь сбалансированной диетой, вы получите органический натрий в достаточном количестве.

Позвольте еще раз предостеречь вас — если хотите, чтобы ваше сердце было сильным и здоровым, уберите из своей пищи соль и никогда больше не прикасайтесь к ней.

НЕ ПЕРЕЕДАЙТЕ!

Не вредите организму перееданием.

Секунда за секундой, минута за минутой, час за часом, день за днем наше верное, преданное сердце работает, чтобы сохранять жизнь. И в часы бодрствования, и во время сна сердце работает, не переставая, за исключением коротких промежутков отдыха между ударами.

Самую тяжелую работу сердце выполняет после того, как человек поест. Чем больше съеденной пищи, тем бо́льшую работу должно совершить сердце, прокачивая огромные количества крови через пищеварительный тракт.

Переедание дает сердцу нагрузку больше, чем что-либо другое. Часто людей после обеда из 10 блюд настигает сердечный приступ.

Переедание — это ужасная привычка, которая может повлечь серьезные последствия. Надо вставать из-за стола с легким чувством голода.

КТО МАЛО ЕСТ, ТОТ ДОЛГО ЖИВЕТ

Научные опыты, проводимые на животных, выяснили и убедительно доказали, что тот, кто меньше ест, дольше живет и дольше остается в расцвете сил. Я беседовал со многими людьми старше 100 лет. Все мужчины и женщины, сохранившие бодрость в этом возрасте, ели очень умеренно.

Ешьте медленно. Тщательно пережевывайте пищу! Не ешьте, если расстроены. Пища, проглоченная наспех, может причинить много неприятностей желудку и дать чрезмерную нагрузку сердцу. Она создает давление газов на сердце, и в результате может случиться сердечный приступ. Если вы не успеваете поесть нормально, не ешьте совсем! Чтобы жить долго, чувствовать себя молодым и сохранить здоровое сердце, надо избавиться от плохих привычек и приобрести здоровые навыки в еде.

ГОЛОДАНИЕ – ЭТО ОТДЫХ ДЛЯ СЕРДЦА

Если вы хотите сохранить сильное сердце, то у вас должна появиться привычка пропускать один-два приема пищи или даже голодать в течение всего дня. А какой отдых получает сердце при полном отказе от еды в течение одного-двух дней! В эти дни надо пить холодную дистиллированную воду, а если вы захотите чего-нибудь теплого, то можно выпить чашку травяного чая, например мятного, с небольшим количеством меда. Ни в коем случае не принимайте никаких соков и пищи во время голодания.

ИСТОРИЯ УСПЕШНОГО ГОЛОДАНИЯ

У меня есть множество писем от моих здоровых учеников со всего света, описывающих чудесные результаты голодания. Так, у одной из моих учениц в возрасте 55 лет было несколько сердечных приступов. Она лежала в постели без движения в течение восьми недель. Когда она наконец поднялась, то выглядела ужасно: бледная, изможденная и обессиленная. Ей не хотелось жить.

И вот ей попалась на глаза книга Брэгга «Чудо голодания». Она начала голодать один день в неделю, а через несколько месяцев уже голодала три-четыре дня. Затем пошла на 7-дневное голодание. В результате этих голоданий и программы правильного питания в ее организме произошли огромные благотворные изменения.

НЕ БОЙТЕСЬ ГОЛОДАНИЯ

Как правило, человек считает, что если он пропустит несколько приемов пищи и поголодает в течение двух-трех дней, то с его организмом произойдут опасные изменения. Это совершенно не соответствует истине. Я голодал в течение 30 дней и был после этого сильнее, чем до голодания, хотя не советую голодать в течение длительного времени без наблюдения врача.

Только голодание может дать организму энергию и жизненную силу, укрепить пищеварительную систему и сердце. Забудьте страхи! Голодание очистит все тело. Попробуйте короткое голодание и посмотрите, какие результаты это даст.

Моя программа голодания выглядит так. До вечера воскресенья я питаюсь, как обычно, а с вечера и до обеда во вторник я ничего не ем. В течение этого времени я пью только дистиллированную воду, давая тем самым пищеварительной и выделительной системам полный отдых. Это снимает огромную нагрузку с моего сердца и пищеварительной системы.

Несколько раз в год у меня бывает «суперголодание». При этом в течение недели я пью только дистиллированную воду, не пью никаких соков и не ем фруктов. Это — полное голодание. И я всегда поражаюсь тому, насколько улучшается мое самочувствие.

МОЯ СИСТЕМА ОЧИЩЕНИЯ «НАСОСА» И «ТРУБ» ОРГАНИЗМА

Если наш мощный «насос» и «трубы» забиты мусором и токсинами, то нельзя быть физически здоровым. Поэтому я считаю, что время от времени необходимо их чистить. Чистка должна длиться, по крайней мере, один-три дня, но даже один день даст благотворный эффект. Это голодание «промоет» все ткани, стимулируя кровообращение, и избавит сердце и кровеносную систему от инородных включений, которые в них накапливаются.

Эту процедуру надо делать, по крайней мере, один день в неделю. Человек, который проголодает три дня, будет поражен полученными результатами. Если во время голодания почувствуете какие-либо неприятные реакции (головную боль, слабость, чрезмерное газообразование), значит наступил, как мы его называем, «исцеляющий кризис», и эти симптомы пройдут, когда яды покинут организм через выделительную систему.

ВЫВЕДЕНИЕ ТОКСИНОВ ИЗ ОРГАНИЗМА

По системе очищения «насоса» и «труб» нужно ежедневно выпивать, по крайней мере, два литра дистиллированной воды, и никакая другая вода не может заменить ее.

Перед началом выполнения процедуры надо на ночь (не менее чем на 10 часов) замочить в одном литре дистиллированной воды нарезанные овощи: одну морковку, несколько стеблей сельдерея и петрушки (все растения целиком) и одну свеклу. Утром воду процедить и использовать как питьевую в течение первого дня только между приемами пищи.

После подъема выпейте один стакан фруктового сока, съешьте одно яблоко, две морковки и несколько сухих фиников или инжир.

В 10 часов утра съешьте свежий фрукт (апельсин, грейпфрут, банан, яблоко, грушу, виноград) и выпейте чашку травяного чая или овощного бульона.

В 12 часов съешьте салат из натертых моркови, капусты, свеклы и нарезанной зелени лука, сельдерея, сладкого перца, петрушки, шпината, салата, помидор. Все это должно быть смешано с приправой, сделанной из зубчика мелко нарезанного чеснока, двух столовых ложек постного масла, и одной столовой ложки лимонного сока. Кроме салата, съешьте немного вареных овощей с малым содержанием сахара — таких, как фасоль, кабачок и др. Выпейте чашку горячей дистиллированной воды, в которую могут быть добавлены белковые концентраты или овощной бульон.

В 15 часов съешьте свежие или сухие фрукты (финики, инжир, яблоко, виноград, банан, чернослив и т. д.).

В 18 часов съешьте салат (такой же, какой ели в 12 часов), тарелку тушеных овощей с добавлением в них лука, чеснока и постного масла.

В течение дня выпейте литр дистиллированной воды, в которой настаивались ночью овощи, так как это помогает ускорить очищение кровеносной системы.

КРЕПКИЙ СОН — ЗАЛОГ СИЛЬНОГО СЕРДЦА

> За деньги можно купить кровать, но вы не купите сон; книги, но не ум; пищу, но не аппетит; пышные наряды, но не красоту; лекарства, но не здоровье; роскошь, но не культуру; развлечения, но не счастье; религию, но не спасение.

Первобытные люди вставали на рассвете и утренние часы тратили на физическую деятельность. В середине дня они плотно ели и ложились отдыхать (так делают сейчас дети). Через час они вставали отдохнувшие, готовые к работе во второй половине дня, и при заходе солнца ложились спать. Таким образом, первобытный человек спал и бодрствовал по 12 часов в сутки.

Современный человек встает утром и весь день проводит в большом напряжении. Его день заполнен стрессами, волнениями и заботами. В повседневной суете мы забыли о ежедневном послеобеденном сне, или сиесте (как его называют испанцы). Кроме того, современный человек «стимулирует» себя чаем, кофе, алкоголем, сигаретами, большим количеством сахара, мороженого, конфет — все это держит его организм в напряженном состоянии.

Он живет в современном мире, и даже по ночам яркий свет заставляет его бодрствовать. Все развлечения и приемы гостей начинаются ночью, в это же время открывают двери ночные клубы, световая реклама соблазняет его посмотреть возбуждающие и захватывающие истории на экране. Телевидение, радио, различные представления — все это предназначено для стимуляции его организма. Вместо того чтобы идти спать, он начинает охоту за неуловимым состоянием, называемым «счастьем».

Чтобы оставаться в состоянии бодрствования, он принимает таблетку или пьет кофе. Он постоянно напрягает нервную систему. И это все гибельно действует на сердце.

Нервы современного человека так истощены и возбуждены, что, когда он идет спать, ему не удается заснуть. В результате американцы потребляют тонны снотворных препаратов и транквилизаторов, чтобы попытаться успокоить свою истощенную нервную систему.

Современный человек совершает свой непрерывный бег в «беличьем колесе», которое он сам для себя создал. Каждый год более полумиллиона американцев попадает в психиатрические лечебницы. Сегодня это одна из величайших проблем. Без хорошего отдыха и крепкого сна не будет сильного сердца, острого ума и здоровой нервной системы.

СОН — ОСНОВА НЕ ТОЛЬКО ЗДОРОВЬЯ, НО И САМОЙ ЖИЗНИ

Сон — основа здорового сердца. Он более важен, чем пища. Можно голодать в течение многих дней и недель без серьезных осложнений, если правильно питаться перед началом голодания и после окончания, но никто не может обойтись без сна больше нескольких дней. В древней Англии осужденных преступников приговаривали к смерти, лишая их сна. В Китае это было самой страшной пыткой. Люди, которые подвергались этим пыткам, умирали от помешательства. Эти факты подтверждают настоятельную потребность человеческого организма в сне.

СКОЛЬКО НАДО СПАТЬ?

В самом деле, сколько нам надо спать? На этот вопрос нельзя ответить однозначно. Люди отличаются друг от друга. Несомненно, некоторым требуется больше сна, другим — меньше. Нет определенных правил, по которым можно это определить. Люди, обладающие огромным запасом жизненной энергии, могут во время сна быстро восстанавливать ту ее часть, которая истрачена днем. Людям слабым, с низкой функциональной способностью требуется больше времени, чтобы восстановиться.

Без сомнения, большинству людей требуется 7—8 часов ежедневного сна, некоторым — больше, особенно женщинам и детям. Им часто требуется даже больше 9—10 часов. Чтобы иметь здоровое сердце, абсолютно необходимо спать восемь часов в сутки, причем один-два из них должны быть до полуночи. Этот час сна до полуночи заменят три часа после полуночи.

КАК ПРАВИЛЬНО СПАТЬ

Надо ложиться головой на север, чтобы быть в фазе с вибрациями Земли.

Лучше всего спать на веранде или в хорошо проветриваемом помещении.

Надо спать совершенно голым, если позволяет погода, или же в свободной ночной одежде.

Лучше спать без подушки, или она должна быть мягкой и плоской, чтобы сердце не перегружалось, качая кровь к голове.

Хорошо спать на жестком матрасе или подложив под мягкую перину доску. Это позволяет мускулам расслабиться, уменьшить давление на жизненно важные органы и восстановить циркуляцию крови, которая блокируется, если пользоваться мягким матрасом. Когда мне приходится ночевать в отелях, я часто кладу матрас на пол, чтобы было пожестче. Администрация гостиниц предпочитает вкладывать деньги в фешенебельные холлы, а не удобные постели. Так же во многих домах, в которых мне приходилось останавливаться: в спальнях — старые, провисшие матрасы, а в гараже — новые машины. Моя постель дома — это доска на четырех ножках, на которую положен жесткий матрас. Возможно, тело в течение нескольких дней должно привыкать к такой постели, но оно будет потом благодарно.

Надо пользоваться мягкими пенистыми ушными пробками, чтобы не воспринимать звуки и шум, которые присутствуют в поездах, самолетах, кораблях, автобусах и автомобилях. Лучше спать в полной тишине, так как вибрационное воздействие шума вредно для сердца, кровеносной и нервной системы.

Человек должен спать один. Если два человека спят вместе, это не принесет им здоровья, так как выделяющиеся токсины одного человека может впитать кожа другого. Они могут мешать друг другу дыханием, храпом, беспокойным сном. Человек запасает ночью больше жизненной энергии, если спит один. Супруги будут просыпаться бодрыми и отдохнувшими, если они будут спать рядом, но каждый в своей собственной постели. Если это невозможно, то кровать должна быть, по крайней мере, двуспальной.

КАЖДЫЙ ЧЕЛОВЕК ДОЛЖЕН ИМЕТЬ ПОСЛЕПОЛУДЕННЫЙ ОТДЫХ

Вы, как и аккумулятор, высвобождая энергию, должны подумать о том, как подзарядить себя с помощью правильного питания, отдыха и созидательных эмоций.

Если хотите, чтобы у вас были сильное сердце и крепкая нервная система, обязательно отдыхайте в середине дня. В результате послеполуденной сиесты человек получает большое количество нервной энергии. В Мексике, Южной Африке, Испании, Франции эта идея оформлена федеральным законом: там все учреждения закрываются с 12 до 14 часов. Сон и отдых очень важны для здоровья тела и сердца.

ЕСЛИ У ВАС БОЛЬНОЕ СЕРДЦЕ

Не расстраивайтесь, если у вас больное сердце. Ваш уникальный организм обладает огромной восстановительной энергией, которая, если ее использовать полностью, является неоценимой помощью в самых серьезных случаях сердечных заболеваний.

ПРОГРАММА ЗДОРОВОГО СЕРДЦА

Не пить и не курить.
Уделять достаточное время сну.

Не позволять никому оказывать на себя давление. Неприятности, стрессы, напряжение не вызывают сердечных приступов, но они и не помогают исцелять их.

Употреблять простую, натуральную пищу и, что самое главное,— не переедать!

Есть медленно и тщательно пережевывать пищу — это первое условие ее усваивания организмом.

Регулярно заниматься физическими упражнениями. Прекращение занятий может быть только во время острой стадии сердечного приступа или когда сердце еще очень слабо. Но когда эта стадия прошла, надо найти упражнения, которые восстанавливают сердце и кровообращение.

Не вступать в эмоциональные дискуссии. В них растрачивается ценная нервная энергия. Не вступать в контакт с неприятными людьми и «уходить» от сложных ситуаций.

Приобретать хорошие привычки. Они могут много сделать для продления жизни.

Избегать искусственных стимуляторов — кофе, чая, алкоголя. Не верить разговорам о том, что алкоголь поможет вашему сердцу,— это гнусная ложь.

Ходить! Дышать глубоко. И... ходить, ходить, ходить!

Употреблять только постное незажаренное мясо, вырезать из него каждый кусочек жира. Ограничить потребление мяса до двух-трех раз в неделю. Есть ненасыщенные овощные белки, такие как соя, семечки подсолнечника, сезама, тыквы, и орехи (миндаль, пекан, земляные, бразильские, лесные, кедровые, грецкие).

Исключить из рациона соль!

Не употреблять молочных продуктов. Молоко и сыр содержат высоконасыщенные жиры.

Съедать не более 2—3 яиц в неделю (если очень хочется).

Иметь в виду, что фрукты и овощи, сырые или слегка проваренные, должны составлять 50 процентов вашего питания.

Не употреблять консервированные заменители сахара. Они приготавливаются из вредных химических веществ.

Полностью заменить сахар медом.

Голодать в течение 24 часов каждую неделю. Это дает сердцу и другим органам физиологический отдых и помогает уменьшить количество смертельного холестерина в артериях.

Помнить, что диета с малым содержанием жира и физические упражнения помогают снизить уровень холестерина в крови до нормального.

МОЕ МНЕНИЕ О ПЕРЕСАДКЕ СЕРДЦА

Когда были проведены первые операции по пересадке сердца, газеты описывали каждую деталь. Эти новости хотели знать все. Если ваше сердце выйдет из строя, то можете заменить его другим. Звучит замечательно! Зачем заботиться о своем сердце, когда можно получить при необходимости новое? Человек всегда ищет легкого пути.

Первые эксперименты с пересадкой сердца были проведены на животных. Специалисты считали, что если эти операции пройдут успешно, то их можно будет проводить и на человеке. Доктор Бернард из Африки провел пересадку сердца у 50 собак, но все они погибли.

Организм живет только потому, что постоянно сражается с нашествием чужеродных субстанций, таких как токсины, вирусы, бактерии. То же самое происходит по отношению к пересаженному сердцу: начинается его отторжение. Аналогичное происходило и с другими пересаженными органами. В настоящее время основной проблемой трансплантации органов является реакция отторжения. Медицинская наука пока еще не решила вопрос, как можно преодолеть отторжение нового органа.

Я могу привести множество фактов, показывающих, как избежать сердечных приступов. В программе здорового сердца я поставил задачу — предупредить сердечные заболевания. Я не лечу болезни сердца. Я не прописываю лекарств. Но я вполне согласен с Американской ассоциацией сердца в том, что здоровое сердце можно сохранить регулярными ежедневными упражнениями и научно сбалансированным питанием.

Лично я не верю в трансплантацию сердца. Я считаю, что надо жить так, чтобы не было опасности для сердца. В программе здорового сердца подробно говорилось о его злейших врагах. Знайте своих врагов и держитесь от них подальше!

Если вы вели неправильный образ жизни и испортили свое сердце, то я верю, что можно восстановить свое здоровье. Помните, что организм может самовосстанавливаться и самоизлечиваться, но для этого надо жить в гармонии с природой, а не выступать против нее.

ДОЛЖЕН ЛИ ЧЕЛОВЕК
С КОРОНАРНЫМ ЗАБОЛЕВАНИЕМ
ИЗБЕГАТЬ ДВИЖЕНИЙ?

Нет! Широко распространенное убеждение в том, что «коронарный» означает конец полезной деятельности, ошибочно. Большинство коронарных закупорок (сердечных приступов) охватывает только небольшую ветвь «коронарного дерева» кровеносной системы. Блокированную артерию можно обойти параллельными каналами, которые остаются неиспользованными в сердечных тканях и ожидают как раз такого случая. Новый циркуляционный путь может быть так эффективен, что после выздоровления больной может вовсе не иметь болезненных реакций, кроме разве чрезвычайных напряжений.

Конечно, в острой фазе приступа процессу выздоровления способствует неподвижность, степень и продолжительность которой должна быть определена лечащим врачом.

Но после выздоровления дальнейшее ограничение подвижности редко дает пользу. Наоборот, появляются новые болезненные эффекты и недостаток уверенности в себе.

ВРЕДНА ЛИ ФИЗИЧЕСКАЯ АКТИВНОСТЬ
ПОСЛЕ СЕРДЕЧНОГО ПРИСТУПА

Это вариация на ту же тему: нужно ли организму ограничение подвижности? Сердце имеет огромные резервы энергии, которые редко используются в обычной жизни, а пускаются в дело только во времена кризиса или крайней необходимости. Спортсмены вынуждены использовать этот резерв. Например, бегун, который пробегает милю быстрее чем за четыре минуты, или пловец, делающий 50-мильный заплыв.

Даже после множества сердечных приступов резервная энергия сердца не очень сильно уменьшается и готова к использованию. Однако ею нельзя злоупотреблять. Обычно у сердечного больного, который перенапрягает себя, появляются предостерегающие симптомы — боль в груди и затрудненное дыхание. Это организм реагирует на то, что надо уменьшить физическую нагрузку. Такие симптомы, однако, могут появиться в результате простого физического недомогания, неожиданного стресса, эмоционального расстройства и усталости.

Я хочу напомнить, что организм постоянно изменяется. В каждый момент вы уже не тот, каким были минуту назад. Организм всегда находится в непрерывном изменении в лучшую или худшую сторону. Каждую минуту из тела удаляются старые клетки, а новые занимают их место.

Надо постоянно задавать себе вопрос: «Какие новые клетки организма я формирую? Эти клетки создаются здоровой пищей или нездоровой?»

Употребляя алкоголь, кофе, чай, очищенный белый хлеб и рафинированный сахар, вы перегружаете нежизнеспособные клетки, которые будут разрушаться и причинять множество неприятностей. С другой стороны, если вы будете следовать рекомендациям, данным в программе здорового сердца, то ваше сердце и тело будут здоровыми. Все в ваших руках. Я же могу только рекомендовать вам, как помочь самому себе.

Если у вас больное сердце, то начинайте сразу же... и работайте систематически и эффективно. Никогда не думайте, что «плохое» сердце обязательно означает прощание с активностью, которая и есть сама жизнь.

Встаньте лицом к лицу с проблемами и начните превращать свои плохие привычки в хорошие. Это умственный и физический процесс. Ум должен управлять действиями вашего тела. Никогда не позволяйте телу командовать — это прерогатива ума, и все должно подчиняться его воле. Человек будет находиться в отличном состоянии, если его ум и тело работают в одной упряжке.

ДЛЯ ЛЮДЕЙ С БОЛЬНЫМ СЕРДЦЕМ НУЖНА ВЕГЕТАРИАНСКАЯ ПИЩА

> Мобилизуйте всю свою силу воли, чтобы выбрать и есть только самую лучшую для вас пищу, не обращая внимания на насмешки друзей и знакомых.
>
> *Д-р Ричард Т. Фелд*

Доктор Джон Харвей Келлог был основателем и в течение многих лет директором известного санатория в Мичигане. Больные со всего света приезжали сюда, чтобы находиться под его персональным наблюдением.

Я имел счастье работать с этим великим врачом в течение нескольких лет и изучать его методы.

Как только больной после инфаркта миокарда поступал в санаторий, доктор Келлог предписывал ему строгую овощную диету и предупреждал, что она должна оставаться на всю жизнь. Это была исключительно вегетарианская диета, состоящая из фруктов, овощей, семечек и орехов. Никакого мяса, никакой рыбы, никаких яиц, никаких молочных продуктов, никакого кофе, никакого алкоголя, никакой соли.

Ниже представлены два варианта меню Келлога.

МЕНЮ № 1

Завтрак

Свежий фрукт или стакан свежевыжатого апельсинового сока, стопроцентное цельное зерно, приготовленное с соевой мукой и медом (по желанию добавляется банан, порезанный ломтиками), или курага, вымоченная в течение ночи, с пророщенным пшеничным зерном и медом.

Ленч

Салат из сырых овощей с лимоном, заправленный растительным маслом, печеный картофель или коричневый рис (картофель надо есть с кожурой!), печеная или пареная морковь, яблочный сок, подслащенный медом, или свежий фрукт.

Обед

Салат из нашинкованной капусты с лимонной и масляной приправой, тушеная желтая тыква и фасоль, семечки подсолнуха и изюм.

МЕНЮ № 2

Завтрак

Стакан свежевыжатого апельсинового или грейпфрутового сока, тушеный чернослив с пророщенным пшеничным зерном и медом или напиток бодрости Брэгга.

Ленч

Салат из сырых овощей и авокадо с лимоном и растительным маслом, вегетарианская запеканка (вареная чечевица, бобы, лук, чеснок с добавлением томатов за 10 минут до окончания приготовления), свежие фрукты.

Обед

1. Свежий фруктовый салат, зелень свеклы, аспарагус, финики и орехи.

Доктор Келлог верит, что строгая диета совершенно необходима для людей с сердечными заболеваниями, так как она лишена холестерина и соли. Из напитков разрешаются травяной чай, свежие фруктовый и овощной соки и дистиллированная вода.

Доктор Келлог рассказывал мне, что люди с тяжелыми сердечными заболеваниями, которые приходили к нему, жили еще 50 лет на этой строгой вегетарианской диете.

Сам доктор Келлог придерживался молочно-овощной диеты, добавляя несколько раз в неделю небольшие количества натурального сыра и яйца к овощной пище, которую он рекомендовал для своих пациентов. В возрасте 92 лет он еще выполнял тонкие операции в своем санатории. Многие великие врачи и гомеопаты рекомендуют людям с сердечными заболеваниями вегетарианскую диету.

ИНСУЛЬТ

Каждый год сотни тысяч людей становятся жертвами инсульта. Считается, что эта болезнь — «привилегия» старости. Однако в последнее время ею стали страдать и молодые люди. Например, несколько лет назад инсульт случился у хорошо известной актрисы, которой было всего 30 лет.

Жертвами инсульта становятся люди, у которых уменьшается или совсем прекращается поступление крови в мозг. Когда нервные клетки части мозга лишены кислорода и питания, они не могут функционировать, и часть тела, контролируемая этими нервными клетками, парализуется. Результаты такого паралича зависят от размера и серьезности поражения мозга. Инсульт может быть смертельным. Он может парализовать одну сторону тела или какую-то его часть. «Легкий» инсульт может привести к нарушению речи и затруднению в движениях конечностей или потере памяти.

После инсульта пораженные клетки могут восстанавливаться или их функции могут брать на себя другие клетки мозга. У некоторых больных бывают такие повреждения, что нужно значительное время, чтобы хоть частично восстановиться.

Чтобы помочь парализованному человеку как можно быстрее восстановить жизнедеятельность, надо обратить внимание на питание и физические упражнения больного. Неподвижность ухудшает циркуляцию крови и затрудняет реабилитацию больного.

Инсульт обычно начинается как сердечный приступ. Артерии забиваются холестерином и минеральными осадками, что препятствует свободному прохождению крови. Проходя через эти суженные и воспаленные артерии, кровь образует сгустки. Когда такой сгусток отрывается от стенки артерии, он попадает в поток крови и может совершенно перекрыть сечение сосуда.

Если блокируются жизненно важные артерии, которые питают сердечную мышцу, результатом будет сердечный приступ или коронарный тромбоз. Если это происходит в мозговых артериях, то случается инсульт, который иногда называют «сердечным приступом в голове».

БРАЙТОВА БОЛЕЗНЬ

Пораженные сосуды почек вызывают водянку, или Брайтову болезнь. Наиболее явным симптомом является опухание ног, известное как водянка ног, хотя оно и не всегда является следствием Брайтовой болезни.

Вне зависимости от того, где происходит закупорка — в сердце, голове, почках, — это одно и то же заболевание. Врачи называют его атеросклерозом. Это означает, что артерии, которые несут кровь, блокированы твердой воскообразной субстанцией, известной как холестерин.

Еще раз напомню, что предупреждение болезни намного проще, чем лечение. Вот почему следует выбрать правильную диету и заниматься физкультурой. Имейте в виду, что сердечные болезни приносят не только годы. Помните, что возраст не токсичен и что он не сила, а мера. Живите так, чтобы вас никогда не настиг инсульт. Живите так, чтобы вас никогда не настиг сердечный приступ. Знайте своих врагов: табак, избыточный вес, стимуляторы (кофе, чай, алкоголь), жирная пища, соль, отсутствие ежедневных упражнений.

ВЫПОЛНЯЙТЕ ПРОГРАММУ ЗДОРОВОГО СЕРДЦА

Эта программа создана, чтобы помочь вам укрепить сердце. Природу нельзя изменить, но если быть с ней в содружестве, то она наградит вас «сердцем льва».

Если у вас слабое сердце, слабые сосуды, которые забиты отложениями, то потребуется немало времени, чтобы привести их в порядок. И надо действовать в полном согласии с природой, пока в организме идут восстановительные процессы.

Можно создать «молодое» сердце, если ради этого будете трудиться в поте лица своего. Никто, кроме вас, не сможет этого сделать. Все зависит только от вас. Только привычка в еде и физическая активность определят состояние вашего сердца.

БЛАГИЕ НАМЕРЕНИЯ И РЕАЛЬНЫЕ ДЕЙСТВИЯ

Чтобы иметь здоровое сердце, необходимо иметь сильную волю. Надо отбросить все отрицательные мысли о своем здоровье. Не позволяйте слабоволию уводить себя от программы здорового сердца. Трусы попытаются передать свой страх вам, говоря, что физические упражнения напрягают сердце и что после достижения определенного возраста надо ограничивать активную деятельность креслом-качалкой. Не верьте им!

Выполняя программу здорового сердца, вы трудитесь в согласии с наукой и природой. Не позволяйте безграмотным людям уводить вас от намеченной цели. Эта программа является результатом многолетних исследований и направлена на создание сильного и здорового сердца, долгой счастливой жизни.

МОИ ЖИЗНЕННЫЕ ПРИНЦИПЫ

Как паровоз не сможет двигаться от действия недостаточно разогретой воды, так и невозвышенные цели не поднимут человека на достойную высоту.

Я написал эту книгу не столько для того, чтобы помочь вам, сколько в расчете, что вы сами поможете себе. Если я повторяю постоянно одни и те же положения, то это лишь для того, чтобы вдохновить вас на более интенсивную борьбу за здоровье и предостеречь от опасностей, которые могут встретиться. Вот мои принципы.

1. У вас только одно сердце и только одна жизнь, и необходимо заботиться об этих сокровищах.

2. Тело должно повиноваться разуму, а не наоборот. Плоть — глупа.

3. От каждой привычки, ослабляющей сердце и укорачивающей жизнь, надо отвыкнуть.

4. Только вы сами можете обеспечить себя хорошим здоровьем.

5. Ваше тело — это очень точный механизм, контроль и забота о котором находится в ваших руках.

6. С возрастом надо все теснее сливаться с природой и не усложнять жизнь.

Попытайтесь понять природу, следуя ее законам и живя так, как она этого хочет. Природа может быть жестокой и в результате убить вас, но цивилизация убивает в два раза быстрее...

ЧЕЛОВЕК И ПРИРОДА

Идеал совершенного человека — это человек, полностью отождествляющий себя с природой, отождествляющий себя с ней так, что становится ее неотъемлемой частью. Жизнь его проста: земля, воздух, солнце работают на него так, как они считают нужным. Он доверчиво вручает себя природе, позволяя ей управлять своим телом, исцелять раны, утешать в минуты слабости. Когда же он исчерпает себя и природа утратит к нему интерес, она просто примет его в свои объятия.

Дайте же вашему телу натуральную пищу и дождевую или дистиллированную воду, свежий воздух и солнечный свет. Тренируйте его и расслабляйте. Обращайтесь со своим телом с той же заботой и мудростью, с какой обращаются с ценным чистокровным животным. И вы, так же, как и это животное, будете завоевывать призы. Легко смеяться над чудачествами людей, живущих в гармонии с природой, но именно те, кто внемлет зову природы, будут смеяться последними.

ПРИКОСНИСЬ К ЗЕМЛЕ

Пусть ваши босые ноги прикоснутся к земле и почувствуют живые камни и мягкую грязь, хлюпающую под ногами. Я люблю принимать солнечные и воздушные ванны, лежать на зеленой траве, глядя в бездонное голубое небо. Люблю лежать почти обнаженным на берегу моря, озера или реки. Одежда не дает почувствовать живые токи земли. Только открытое тело освобождает для них путь. Снимите всю одежду, и пусть солнце, воздух и вода обнимают ваше тело. Будьте в тесном контакте с матерью-землей, пусть ее сила вольется в ваше тело.

Цивилизация усложнила жизнь человека, поставив его в тепличные условия. Человек был более здоровым и счастливым, когда он жил в содружестве с природой. Остановитесь на улице большого города и понаблюдайте за людьми, неистово проносящимися мимо. С высоты своего здоровья вы увидите, что трое из четверых физически слабы или больны. И едва ли вы увидите человека с превосходным здоровьем.

ПОЧУВСТВУЙТЕ В СЕБЕ ПРИРОДУ

Счастье не ценят, так как оно ничего не стоит.

Не уподобляйтесь больному или полубольному человеку, который никогда не испытывает настоящего трепета жизни. Большинство сегодняшних людей нуждаются в допинге. Они снова и снова обращаются к таким стимуляторам, как табак, кофе, чай, алкоголь, когда их тонус падает. Когда здоровье потеряно, теряется и жизнестойкость, пропадает интерес к жизни. В отчаянных усилиях сгладить удары судьбы эти бедные создания обращаются к наркотикам. Раньше к ним прибегали люди средних лет и пожилые, которые цеплялись за жизнь, обращаясь к искусственным стимуляторам. Теперь, к нашему ужасу, уже молодые люди потянулись к наркотикам. Они отвергли все то, что предложила им природа. Эти молодые люди так напичканы стимуляторами и депрессантами, что становятся жертвами сердечных приступов.

Чтобы сердце было здоровым в любом возрасте, надо вести правильный образ жизни — это одно из основных положений моей теории. В пище, физических упражнениях, дыхании, сне, одежде и простоте жизни — во всем пытайтесь достичь полной гармонии с природой. Когда почувствуете, что в сосне и в вашем теле бродят одни и те же стихийные силы, можно считать, что вы сделали большие успехи на пути к здоровью.

Начните жить так, как того требует природа. Доверьтесь ей. Знайте, что природа хочет помочь вам. Она сможет управлять вашим организмом лучше, чем вы сами, чем какая-либо другая сила или божество. И если все же в ее руках ваш организм погибнет, значит, все его жизненные силы исчерпаны.

ИСКУССТВО ДОЛГОЙ ЖИЗНИ

Лучший совет, как прожить долго,— это продолжать жить. Жизнь не имеет замены! Считайте каждый свой день маленькой жизнью и сделайте ее настолько совершенной и прекрасной, насколько это возможно. Попытайтесь встречать каждый следующий день рождения с более здоровым сердцем и совершенным здоровьем, чем сегодняшний. Каждое мгновенье вы живете для будущего, и в этом надо всегда отдавать себе полный отчет.

Будьте всегда начеку. В тот момент, когда вы ослабите бдительность, враг бросится в атаку и поразит ваше сердце. Возможно, вы проживете долго, не прилагая больших усилий, но вам уж точно суждена долгая жизнь, если не пожалеете на это сил. Долгожительство — это великое искусство.

Человек, который целенаправленно настроен на продление жизни, имеет огромный шанс осуществить это. Надо только понять, что ваш враг — не возраст, а старение. Конечно, встречаются люди с таким великолепным здоровьем, что просто не могут убить себя. Вы, возможно, знаете 80-летних стариков, которые говорят, что всю жизнь курили, пили и не делали никаких упражнений. Вы можете им уверенно ответить, что они могут продлить жизнь еще на добрых два десятка лет, если позаботятся о своем здоровье.

ДОЛГОЖИТЕЛЬСТВО – ЭТО СОПРОТИВЛЕНИЕ

С научной точки зрения, долголетие — это организованное сопротивление. Оно основано на знании человеческого организма и законов борьбы за здоровье. Прежде всего — это надежда на природу. Природа питает отвращение к плохому здоровью. Она всегда стремится к очищению и обновлению, она стремится помочь вам, если вы хотите принять ее помощь. Лекарства и советы врача не дадут ничего хорошего, если природа не поддержит вас.

СЕРДЕЧНО-СОСУДИСТЫЕ ЗАБОЛЕВАНИЯ – ЭТО САМАЯ БОЛЬШАЯ УГРОЗА

Люди должны уметь защищать себя от коронарных тромбозов (сердечных приступов), инсультов, гипертонии (высокого давления крови), атеросклероза (закупорки артерий), артериосклероза (известкование артерий), грудной жабы, варикозного расширения вен и других сердечно-сосудистых заболеваний.

Заболевание сердца и кровеносных сосудов, этот убийца номер один, забирает ежегодно более одного миллиона жизней в Соединенных Штатах, т. е. больше, чем все остальные болезни, вместе взятые.

Отложения в артериях задерживают кровообращение. Скорость и эффективность движения крови имеют большое значение для продления жизни. Поток крови обеспечивает организм необходимым питанием и кислородом, перемещает ядовитые вещества к органам выделения. Замедление циркуляции крови, уменьшение эластичности кровеносных сосудов и любые нарушения механизма распределения крови уменьшают силу и ухудшают здоровье человека, укорачивают его жизнь.

По моему глубокому убеждению, не существует никаких физиологических проблем, ограничивающих продолжительность жизни. Я верю, что молодость и здоровье можно сохранять. Ваш долг по отношению к самому себе — быть здоровым и жить долго.

ГЛАВНАЯ ПРИЧИНА ВДОВСТВА — КОРОНАРНЫЕ ЗАБОЛЕВАНИЯ У МУЖЧИН

Одна из главных причин женского вдовства — это сердечные заболевания у мужчин. Ранее говорилось, что высокий уровень холестерина провоцирует сердечные приступы. Статистика показывает, что уровень холестерина у американских мужчин быстро повышается в возрасте между 30 и 65 годами. Будьте осторожны! Измеряйте уровень холестерина в крови дважды в год.

Женщины в возрасте до 50 лет оказываются более защищенными против дегенеративных сердечных заболеваний, чем мужчины. Однако после 50 лет у женщин случаются сердечные приступы и инсульты так же часто, как и мужчин. Наука объясняет это тем, что женские половые гормоны играют важную защитную роль против угрозы атеросклероза. Как только начинаются изменения в жизни женщины, защита этих половых гормонов, вероятно, прекращается и женщины становятся также чувствительны к сердечным заболеваниям, как и мужчины. Это не означает, однако, что женщина моложе 50 лет может пренебрегать заботой о сердце, так как есть множество исключений из правила —

тысячи женщин страдают болезнями сердца, когда им нет и 50 лет.

СОВРЕМЕННЫЙ ЧЕЛОВЕК НЕ УМИРАЕТ... ОН СОВЕРШАЕТ МЕДЛЕННОЕ САМОУБИЙСТВО

Несмотря на то что вы чувствуете себя прекрасно, не засоряйте кровь высокохолестериновой пищей, типичной для большинства людей западной цивилизации. Ветчина и яйца, мясо и картофель, пироги и торты, хлеб с маслом и маргарином, молоко и мороженое — всю эту пищу большинство мужчин и женщин очень любят, но это яды для вашего сердца и кровеносных сосудов, и действуют они медленно, коварно. Их действие никак не проявляется, пока не случится сердечный приступ.

Вспомните мудрые слова доктора Дадли Уайта, что смерть от сердечного приступа не является неожиданностью. Она готовится в течение многих лет.

ЖЕНЫ, ЖИЗНЬ МУЖЕЙ В ВАШИХ РУКАХ

Я должен предупредить всех жен — если вы хотите, чтобы муж был живым и здоровым, работайте на него, заставляйте его каждый день заниматься спортом и правильно кормите его. Сократить жизнь мужа и других членов семьи можно жирной пищей. Их жизнь и здоровье в ваших руках. Если вы последуете изложенным в этой книге советам о том, как сохранить здоровье, то через некоторое время все члены семьи почувствуют необыкновенный прилив энергии и жизненных сил...

Помните, что молодые люди тоже могут умереть от сердечного приступа. Поэтому научите своих детей правильно питаться. Готовьте больше свежих салатов, тушеных овощей, фруктовых десертов. Установите норму масла для каждого блюда. Мясо должно быть постное и недожаренное. Откажитесь от подливок: они перегружены холестерином. Ограничьте количество молочных продуктов. Помните, что взрослые не нуждаются в молоке! Предложите им вкусный травяной чай из мяты, люцерны, аниса. Откажитесь от кофе и исключите из рациона соль. Наградой вам будет счастливая, здоровая семья.

ОБИЛЬНАЯ ЕДА – В СЕРЕДИНЕ ДНЯ

> Все, что сверх нормы, противно природе.
>
> *Гиппократ*

У американцев обильная еда приходится на вечер. С точки зрения сердечных заболеваний, это самое плохое время для потребления жирной пищи. Учеными установлено, что кровь стремится к свертыванию в промежутке времени от двух до восьми часов, следующих за едой с высоким содержанием жиров. Поэтому желательно избегать тяжелой пищи, особенно по вечерам, и таким образом уменьшить возможность внутрисосудистых закупорок.

По свидетельству врачей, случаи коронарного тромбоза после потребления тяжелой пищи – обычное явление, наблюдаемое в течение многих лет. Как часто мы читаем и слышим о людях, которые умерли от сердечного приступа ночью во время сна!

Пенсионеры, конечно, могут легко регулировать время ужина. Работающие должны сдвинуть ужин на более ранние часы и сбалансировать свою диету так, чтобы не причинять вреда здоровью.

Идеальная еда для ужина – полностью вегетарианская. Можно начать с комбинированного салата с лимонной и масляной приправой. Затем возьмите два вида вареных овощей, таких как фасоль, тыква, горох, кукуруза, капуста. Несколько раз в неделю ешьте печеный картофель, но не кладите в него жир или сливочное масло! Приправьте его морской капустой или какой-либо травой по вкусу и полейте постным маслом.

Я не буду напоминать вам, что за счастье быть здоровым и жить долго нужно платить отказом от соблазнительно вкусной пищи. Подальше от нее! Как уже говорилось раньше, очень вкусны известные во всем мире восхитительные французские блюда. Это лучшая антикоронарная пища. Хороший французский повар редко использует соль и перец и готовит пищу с очень небольшим количеством жира. Секрет кулинарного искусства состоит в умении использовать травы, чеснок, лук, зеленый перец, грибы.

ПРЕКРАСНЫЕ КИТАЙСКИЕ РЕЦЕПТЫ УКРЕПЛЯЮТ СЕРДЦЕ

Твоя пища должна быть твоим лекарством.

Гиппократ

У американцев в 10 раз больше коронарных заболеваний, чем у китайцев, которые питаются низкохолестериновой нежирной пищей в отличие от народов Соединенных Штатов, Канады и большинства европейских стран.

Атеросклероз всегда был «заболеванием изобилия». Только те, кто позволяют себе дорогую жирную пищу, являются жертвами сердечных приступов и инсультов. Холестерин был найден в артериях мумий фараонов Египта, чья пища была значительно лучше, чем пища их подданных. Дегенеративные заболевания сердца и кровеносных сосудов всегда были «привилегией» состоятельных классов.

Сегодня, однако, миллионы и миллионы людей в западных индустриальных странах могут позволить себе дорогую пищу. Но за это приходится платить высокую цену в виде атеросклероза и быстрого роста эпидемии сердечно-сосудистых заболеваний.

Сотни миллионов людей, живущих в Китае и других, не отличающихся изобилием продуктов, азиатских странах, редко страдают сердечными заболеваниями. Главным продуктом их рациона является одно из наиболее здоровых растительных масел — соевое масло, которое содержит очень много ненасыщенных жирных кислот и лецитин — два самых сильных защитных фактора против заболеваний сердца.

Основная китайская пища — рис и слегка вареные овощи. Мясо используется очень редко; когда вы заказываете в ресторане цыпленка или отбивную, то получите полную тарелку овощей, таких как сельдерей, лук, зеленый перец, побеги бамбука, брюссельская капуста, тарелку риса и очень небольшое количество тонко нарезанного цыпленка или мяса. В настоящем китайском ресторане вам не подадут ни хлеба, ни мяса.

У нас в доме все очень любят китайскую пищу и едят ее несколько раз в день. Приведу несколько рецептов.

Сырой салат. Нарежьте салат. Добавьте дольками сельдерей, редиску, морковь, огурец, помидоры, петрушку и шпинат. Заправьте постным маслом и лимонным или апельсиновым соком.

Грибное рагу. Нарежьте острым ножом дольками лук, зеленый перец, сельдерей и любые другие овощи. Смешайте с грибами — свежими или консервированными,— положите смесь в кастрюльку, заправьте постным маслом, при желании добавьте чеснок, так как он очищает сосуды от «ржавчины», и столовую ложку китайского соевого соуса.

Не передерживайте эту смесь на огне. Она должна стоять на большом огне 5—10 минут при постоянном помешивании деревянной ложкой.

В это овощное рагу можете добавить кусочки цыпленка, мяса или креветок, но в очень небольшом количестве и очень тонкими дольками.

Коричневый рис. Возьмите натуральный коричневый рис — одну часть на три части воды. Добавьте одну чайную ложку бурых водорослей и одну столовую ложку соевого масла. Готовьте его на пару или в кастрюле с толстым дном и закрытой крышкой на среднем огне, пока рис не станет мягким и рассыпчатым. Рис нельзя перемешивать до полной готовности.

Десерт. Завершить эту великолепную антикоронарную трапезу можете каким-либо свежим фруктом.

Помните, что химический состав пищи, которую человек ест, становится химическим составом его тела.

УЧИТЬСЯ НИКОГДА НЕ ПОЗДНО

Говорят, что нельзя научить старую собаку новым трюкам. Может быть. Но человек — это нечто иное. У него достаточно здравого смысла, чтобы защитить себя от сердечных приступов, постигая секреты здорового питания.

В первую очередь надо запомнить, что можно заменить сливочное масло, маргарин и другие насыщенные гидрогенизированные жиры натуральными растительными маслами. Если вы любите молоко, то вместо коровьего лучше пейте молоко из соевого порошка. Научитесь использовать травы, водоросли, чеснок, лук для замены соли, для придания пище приятного вкуса и хорошего запаха.

Большинство людей качают головой в сомнении, когда им говорят, что надо отказаться от соли при приготовлении пищи. Но стоит лишь попробовать — оказывается, не так трудно перейти от соленой пищи к натуральной с использованием полезных трав и водорослей. Как я уже говорил, страстное желание солить пищу — это приобретенное, а не естественное желание, и я по собственному опыту могу судить, что оно быстро исчезнет. Вы очень скоро убедитесь, что все ваши 260 вкусовых рецепторов откажутся от соленой пищи.

Вы теперь знаете, что насыщенные жиры в мясе, яйцах и молочных продуктах — ваши враги. Знаете также, что потреблять их надо как можно меньше. У вас только одна жизнь. Только одна. И только одно сердце. При рождении вы получили его здоровым. Помните, что, удовлетворяя неуемный аппетит разрушающей ваше здоровье пищей, вы можете погубить лучшее, что дала вам природа, — собственное сердце!

ПРЕДОТВРАТИТЕ ЗАБОЛЕВАНИЯ СЕРДЦА

Я считаю, что намного лучше изменить свой рацион, чем быть парализованным или внезапно умереть от сердечного приступа.

Итак, поразмышляйте немного, поговорите по душам с самим собой, подумайте о том, собираетесь ли умирать от сердечного приступа или быть жертвой удара. Жизнь — это естественный отбор. И никто, да, никто (!) не собирается защищать ваше сердце, кроме вас самих! Это долг по отношению к себе — жить так, чтобы сердце могло оставаться здоровым и мощным всю жизнь.

Люди должны жить знаниями и мудростью, а не старыми волшебными сказками и мифами. Эта книга была написана, чтобы дать научные сведения о вашем сердце и программу здорового сердца, которая поможет сохранить его.

Эта книга просто и правдиво рассказывает, что такое сердечные приступы, чем они вызываются и что можно начать делать сегодня, чтобы предотвратить их. Здесь нет волшебных заклинаний и лекарств от болезней сердца. В программе здорового сердца собрано вместе множество данных известных ученых, исследователей и статистиков всего мира.

Сегодня в мире начали заниматься пересадками сердца. Я мало верю в перспективу развития трансплантации органов, не надеюсь и на диагностику и лечение сердечных заболеваний, а верю только в предупреждение сердечных заболеваний. Зачем ждать, пока сердце испортится, лучше предотвратить его заболевание.

Сегодня мы должны жить так, чтобы в будущем не было сердечных приступов. Что посеешь, то и пожнешь. Давайте же посеем семена хорошего здоровья, чтобы получить здоровое сердце.

БУДЬТЕ МОЛОДЫ В ЛЮБОМ ВОЗРАСТЕ

> Ваш первый день рождения был началом, а каждый последующий — это шанс начать новую жизнь, начать на новом уровне.

Можно испытывать счастливое чувство молодости, невзирая на календарные годы. Живя здоровой жизнью, рекомендуемой в программе здорового сердца, вы почувствуете радость молодости.

Не позволяйте тем, кто стар душою, опускать вас до их уровня мышления. Помните, что человек настолько молод, насколько молоды его артерии. Живите здоровой жизнью, чтобы артерии оставались молодыми. Если ваши артерии и мысли будут молодыми, вы будете всегда оставаться молодым.

Возраст не зависит от прожитых лет, он зависит от того, насколько хорошо вы себя чувствуете.

МОЙ 106-ЛЕТНИЙ МОЛОДОЙ ДРУГ РОЙ Д. УАЙТ

Рой справил свой 106-й день рождения. Да, вы правильно прочли — 106 лет молодости! Рой Д. Уайт живет в Калифорнии. У него острый ум, большое чувство юмора, гибкое, прямое и активное тело. Рой может, не сгибая коленей, нагнуться и достать руками кончики пальцев ног — упражнение, которое многие, не достигшие и половины его возраста, не сделают. У него всегда хватает сил пройти свои пять миль в день. Будучи вдовцом, Рой сам убирает свое жилище и сам готовит себе еду. Он выглядит на 75 лет, но, видя его активность, ему дают меньше.

Только благодаря программе здорового сердца и физической активности этот 106-летний юноша такой бодрый. Нельзя позволять крови застаиваться. Отдыхать — значит «ржаветь и ржаветь», а ржавчина — это разрушение.

Рой верит, что длительные прогулки помогают физически, умственно и духовно, что на прогулках можно сбросить напряжение и забыть о неприятностях. Рой говорит: «Основа моей философии — отсутствие напряжений. Страх и ненависть — самые скверные состояния».

Напряжение, злоба, чрезмерная эмоциональность — все это вредит сердцу. Его философия — философия всепрощения. Он не помнит зла. Он говорит, что так поступают дети и молодые люди, а он хочет быть молодым. Вместо косности и застоя, характерных для пожилых людей, оптимизм — идеал молодых. А когда чувствуешь себя молодым, то и действуешь, и думаешь по-молодому.

НИКОГДА НЕ ПОЗДНО ДУМАТЬ ПО-МОЛОДОМУ

Вся программа здорового сердца направлена на то, чтобы забыть о годах и жить молодой беззаботной жизнью. Это чувство и новая жизненная философия позволяют избежать физических и душевных расстройств, этих неразлучных спутников пожилых людей. Таким путем можно сохранить здоровье, силу, энергию и счастье. Говорят, что нет лекарства от старости, спасается от этого только тот, кто умирает молодым. Но программа здорового сердца действительно может помочь вам чувствовать себя молодым в течение долгих лет.

Я БОЛЬШЕ НЕ ПРАЗДНУЮ ДЕНЬ РОЖДЕНИЯ

Это абсолютная правда. Для меня нет больше дней рождений! Я не хочу больше измерять свою жизнь календарными годами, а измеряю ее теперь только годами биологическими.

Да, мне больше 70 лет. Да, я прадедушка. Но я не собираюсь прекращать свою активную деятельность. Я продолжаю играть в теннис с молодыми людьми, ходить по горам с альпинистами, плавать с пловцами и танцевать с хорошенькими молодыми девушками, то есть с девушками, которые молоды сердцем. Одна из моих любимых партнерш — «девушка» 88 лет — ох, как танцует! Она грациозна, как любая из моих правнучек. Не годы дают возраст, а больное сердце и забитые артерии.

Чтобы иметь молодые артерии, вы должны работать не покладая рук — этим самым сохраните жизнеспособность своего сердца. И самое замечательное заключается в том, что когда вы станете здоровы душой и телом, то найдете время для массы интересных вещей, которых раньше для вас просто не существовало.

Когда радостно бьется сердце, мир выглядит как сад Эдема. Вы становитесь личностью, свободной от забот, с песней в сердце, с сияющими глазами. Жизнь прекрасна! Когда вы здоровы, вы счастливы. Счастье — это величайшая цель в жизни!

ТЕПЕРЬ БЕРИТЕСЬ ЗА РАБОТУ

Вы прочитали эту книгу — теперь вы можете начать вашу программу здорового сердца. Мало только желания быть здоровым — в этом направлении нужно действие! Начните сегодня!

С этой самой минуты начните работу над программой здорового сердца! Поставьте перед собой четкую цель — создать здоровое сердце. Отбросьте все негативные мысли. Верьте в выполнение задачи, ведь вам теперь будет помогать неиссякаемая сила — мать-природа. Каждый день говорите себе: «У меня должно быть здоровое, сильное, энергичное сердце». Постоянно думайте о силе и жизнеспособности сердца.

Будьте хозяином своего организма. Вы, несомненно, должны побороть желание выпить чашку кофе, курить табак, употреблять алкоголь, соль, жиры и другие вещества, которые разрушают сердце. Возьмите власть над своим телом и разумом сегодня же и не позволяйте никому и ничему отвлекать вас от выполнения программы здорового сердца.

Вам даны создателем одно сердце, одно тело, одна жизнь, а в качестве союзника — природа, чтобы с ее помощью достичь долгой, здоровой и счастливой жизни. Но никто, даже природа, не может помочь вам, если вы сами этого не захотите. А сейчас приступайте к работе!

ПОСТРОЕНИЕ
МОЩНОЙ НЕРВНОЙ СИЛЫ

При написании этой книги я не стремился к созданию классического произведения в области литературы. Наоборот, я специально применял сжатые формулировки для того, чтобы факты, которые я представляю, глубоко запечатлелись в памяти читателя.

Мы живем в век необычайного нервного напряжения, которое медленно, но верно подрывает все основы нашего существования. И если мы СЕЙЧАС не предпримем определенных шагов, чтобы преодолеть это зло, через несколько поколений мы можем прийти к полному нервному краху.

Когда я говорю МЫ, я имею в виду в первую очередь американскую нацию. Хотя пострадавших от расстройства нервов много во всем мире, нигде мужчины и женщины не страдают от этого больше, чем у нас.

Мой глубокий интерес к этому предмету и причина, благодаря которой я отдал столько времени и энергии культуре нервов, могут быть объяснены эволюцией — эволюцией взглядов, теорий и практик на культуру здоровья. Я решил обязательно изучать этот предмет, так как родился с очень чувствительными нервами.

В возрасте 18 лет, излечившись от туберкулеза, я стал интенсивно интересоваться культурой здоровья и физической культурой и решил достичь самого высокого физического совершенства, какое только может позволить природа. Мое движение вперед в изучении и практике культуры здоровья началось с работы над физическим совершенством, какое только может позволить природа; это продвижение началось с физических упражнений и спорта, так как я верил, как и многие люди, что мускульная сила означает здоровье. Но поскольку заблуждения этой ужасной теории вскоре стали сказываться на моем состоянии, то я начал сосредоточиваться на научном питании, глубоком дыхании и систематическом создании своего тела.

Я нашел, что величайшая ведущая сила тела — это нервы. Именно здесь самое слабое и наиболее чувствительное место в человеческом организме. И именно здесь мы должны создавать жизненные силы.

Это положение — не просто теория. Я ежегодно слежу за гигиеной питания и персональной программой свыше 1000 здоровых студентов в добавление к тем сотням студентов, которые посещают мои общедоступные классы. Так как мой опыт расширяется, верность моего учения становится более очевидной.

Я могу утверждать с полным знанием дела, что факты, представленные в этой книге, не могут быть подвергнуты сомнению.

СЕКРЕТ НЕРВНОЙ СИЛЫ

Нервная сила — источник всей жизни. Жизнь идет через наши нервы, никогда не забывайте этого! Когда у вас есть нервная сила, вы полны энтузиазма и счастья, здоровья и честолюбия.

Вы преодолеваете все трудности и готовы принимать каждый вызов, судьбы, потому что уверены: ваша нервная сила справится с ними.

Вы не сможете победить человека, полного нервных сил. Он будет стремиться снова и снова к цели, не замечая, как часто он терпел неудачи — и в конце концов победит. Всего 5 процентов людей управляют и руководят остальными 95 процентами человечества — и ведущей в них является нервная сила.

Ваше здоровье, сила, жизнеспособность и терпение измеряются непосредственной нервной силой. Это дает вам тот резерв силы, который делает жизнь полной успеха и очарования. В мире достаточно людей, которые имеют ум и способность подняться на вершину. Но у них нет необходимой нервной силы, которая толкала бы их вперед. Привлекательность женщины, ее очарование и живость имеют также прямое отношение к нервной силе, которая заставляет ее лучиться здоровьем.

Нервная сила и физическое здоровье внутренне связаны. Ваше тело — сложная машина. Нервная сила — его движущая сила. Но ее энергия зависит, в свою очередь, от гармоничной деятельности жизненных органов. Из легких и сердца кровь через обширную циркуляционную систему поступает в каждую клетку и от них разносит питание по всему телу. Если какой-либо орган плохо работает, кровь не будет содержать элементов, необходимых для создания нервной силы. Ваш желудок должен хорошо переваривать. Органы выделения — кишечник, легкие, почки и кожа — должны иметь для успешной деятельности огромную нервную силу. Селезенка, печень и все кроветворные органы должны работать гармонично. Если вы встаете каждое утро, чувствуя вялость и усталость, если вы чувствуете, как тянутся годы, если будущее кажется безнадежным и вы чувствуете себя несчастным — значит, что-то неладное происходит с вашей нервной системой. Ваша нервная сила в минусе вместо плюса.

Существует только один путь — перестройка нервной силы. Тело — самоисцеляющийся организм, если дать ему возможность идти путем природы. К несчастью, сегодня большинство людей, особенно американцев, бесполезно тратит нервную силу и подхлестывает нервы различными допингами в попытке уравновесить силы. И таким образом лишь травмируют организм.

«НЕРВЫ» — ТОНКОЕ И ОПАСНОЕ СОСТОЯНИЕ, КОТОРОЕ ПОДРЫВАЕТ ЖИЗНЕСПОСОБНОСТЬ АМЕРИКАНСКОЙ НАЦИИ

«Нервы» — мы слышим это везде. Врач говорит своему пациенту: «Это ваши нервы расходились». Чувствительные женщины также жалуются на свои нервы. Каждый день на работе вы сталкиваетесь с людьми, имеющими нервное расстройство. Вы слышите от родителей: «Я не могу наказывать ребенка, у него нервы».

Американский подросток — самое нервное существо в нашей нации. Нервы молодых людей так нестройно «звучат», что требуют громкой музыки для стимуляции. Некоторые носят магнитофоны с собой, чтобы подстегивать нервы. Они так возбуждены, что не могут сразу прекратить разговор по телефону.

Вы видите проявление нервов везде — на улице, на работе, в театре, в школе, в институте и особенно дома, в вашей собственной семье. Телевизор работает постоянно до самой ночи. Нервы большинства зрителей находятся на такой грани, что должны стимулироваться картинами убийства, крови, пыток и расстрелов. Нездоровая атмосфера насилия и секса заменила культурные программы телевизионных станций.

Американцы — нация нервных людей, это известно всему миру, об этом заявляют и наши специалисты. Это вытекает из интенсивности нашей жизни (жизни «миля в минуту»). Это делает нас наиболее прогрессивной нацией на Земле, но в то же время разрушает здоровье людей. Наши психолечебницы переполнены. Половина больничных коек страны заняты людьми, страдающими нервными расстройствами.

Лучшие медицинские авторитеты говорят, что если количество психических заболеваний будет расти так же, как сейчас, то меньше чем через 100 лет не будет никого, кто бы позаботился о психическом здоровье людей, потому что каждый станет жертвой какого-либо расстройства. Устрашающая перспектива — не так ли? Медицинские исследования подтверждают это. Впрочем, уже в настоящее время не хватает психиатров и психологов, чтобы контролировать психические заболевания. Мы находимся в жалком состоянии.

Миллионы людей имеют нервную силу ниже нормальной и, как следствие, испытывают бесконечные органические и физические нарушения, которые делают их жизнь ужасной. Если же люди не имеют нервной силы, они вначале принимают более слабые стимуляторы, чтобы противостоять жизненным атакам,— табак, чай, кофе, колу. Более глубокий нервный упадок — более сильные стимуляторы: алкоголь, затем наркотик. Очень многие становятся впоследствии приверженцами сильнейших наркотических средств.

Многие люди считают себя нормальными, хотя нет ни одного дня, когда бы они не принимали взбадривающих таблеток. Ночью их нервы так возбуждены, что они не могут обойтись без снотворного. Посмотрите, как много снотворных и успокаивающих средств рекламируется по телевидению.

СОВРЕМЕННЫЙ КУЛЬТ ИСПОЛЬЗОВАНИЯ СИЛЬНЫХ НАРКОТИКОВ

Наши ежедневные газеты полны материалов о юношах и девушках, принимающих наркотики. Лучшие медицинские авторитеты говорят, что наркотики разрушают мозг и тело. Однако тысячи нервно истощенных молодых людей регулярно принимают их! Тысячи сигарет из марихуаны продаются американским студентам. Привычка становится настолько широко распространенной, что некоторые группы молодежи пытаются помогать легальной продаже этих сильных, расстраивающих нервную систему наркотиков, используя все, что дает истощенным нервам толчок. Некоторые студенты нюхают эфир и входят в оцепенение.

Мы все знакомы с наркотическим действием алкоголя. Студенты используют все его формы. Установлено, что имеется 15 миллионов хронических алкоголиков, и каждый год прибавляется по 1000 человек.

ЧТО ОЗНАЧАЕТ СЛОВО «НЕРВЫ»

Популярное выражение «нервы» означает нервное истощение или недостаток нервной силы. Вопрос: «Что такое нервная сила?» – аналогичен вопросу: «Что такое электричество?» Она так же неосязаема. Мы знаем, что это основная сила жизни, таинственная энергия, которая исходит от нервной системы и дает жизнь и энергию каждому органу. Перережьте нервы, которые руководят каким-либо органом, и он перестанет функционировать.

Замечательный орган – нервная система – состоит из миллионов клеток, которые запасают нервную силу. Общее количество, запасенное в этих резервуарах, представлено нашим нервным капиталом. Каждый орган работает непрерывно, поддерживая уровень нервной силы в этих клетках, поэтому жизнь зависит больше от нервной силы, чем от пищи, которую мы едим, или даже воздуха, которым мы дышим. Без деятельности нервной силы мы не можем ни дышать, ни есть.

КАК МЫ ИСТОЩАЕМ НАШИ РЕЗЕРВУАРЫ НЕРВНОЙ СИЛЫ

Если мы не предоставляем нервам достаточного питания, кислорода, сна, а даем лишь стрессы, напряжение, очень много работы, эмоций и возбуждения, гнева, беспокойства, зависти, ненависти, недоброжелательности, жадности, вспыльчивости и горя, если мы подвергаем мускульную систему чрезмерному напряжению, если мы каким-либо образом тратим нервной силы больше, чем органы создают ее, естественным результатом должно быть нервное банкротство. Другими словами — полное нервное истощение, или, если хотите — «нервы». Но есть болезнь более страшная, чем нервное истощение, ее родственница: умопомешательство. Только те, кто прошел через нервное истощение, знают, какие ужасные страдания оно причиняет. Нервное истощение может закрыть темными тучами всю вашу жизнь и причинить несказанные несчастья.

ОПАСНЫЕ СИГНАЛЫ СЛАБОЙ НЕРВНОЙ СИЛЫ

Когда нервной силы мало, вы идете по жизни со страхом, даже не догадываясь о его присутствии. Только смелый анализ может раскрыть присутствие этого общего врага. Когда вы начинаете такой анализ, исследуйте глубоко ваш характер. И будьте честны с собой! Это будет смотр всех ваших истощенных нервных сил как первый шаг по дороге здоровья. Здесь перечислены главные опасные сигналы, предупреждающие, что ваша нервная сила очень слаба.

1. Равнодушие. Вы принимаете без протеста любые удары судьбы? Слабая нервная сила истощает честолюбие и превращает вас в психически и физически ленивых людей,

готовых сносить бедность или низкий уровень жизни, не делая никаких усилий, чтобы преодолеть это. У вас явно недостает инициативы, воображения, энтузиазма и самоконтроля.

2. Нерешительность. Склонны ли вы позволять другим выполнять ваши намерения для вас? Человек со слабой нервной силой легко подчиняется. Другие могут настолько завладеть его мыслями, что он действительно становится человеком-роботом.

3. Сомнения. Сомневаетесь ли вы втайне в своих способностях? И, вероятно, также сомневаетесь в искренности тех, кто хочет помочь вам? Для слабой нервной силы часто присущи оправдания, чтобы прикрыть или объяснить свои неудачи. Это иногда выражается в виде зависти к тем, кто здоров или полон успеха.

4. Беспокойство. У вас хроническое беспокойство? Это основной признак пониженной нервной силы, что может привести к нервному расстройству. Беспокоящийся человек — один из наиболее жалких людей на земле, живущий в постоянном страхе. Беспокойство истощает жизненные силы и преждевременно старит. Такой человек говорит: «Вам бы мои заботы, вы бы тоже беспокоились».

Это неправда. У всех людей свои заботы, и часто они сталкиваются с очень трудными жизненными проблемами. Однако человек, имеющий здоровую нервную силу, встречает их спокойно и находит логичное решение. Часто при внимательном рассмотрении проблемы он оказывается неспособным найти решение один и будет искать помощи.

Беспокойство не даст ответа. Оно только расстроит здоровье, преждевременно состарит вас. Беспокойство — это самоубийство.

5. Сверхосторожность. Вы ждете какого-то определенного момента, чтобы начать воплощать свои идеи и планы в жизнь. Не становится ли ожидание постоянной привычкой? Когда нервная сила понижена, пессимизм велик. Один привычный взгляд на негативную сторону каждого обстоятельства, мысли и разговоры о возможной неудаче вместо сосредоточения на возможности успеха... Такой сверхосторожный пессимизм ведет к несварению желудка, слабой циркуляции, запорам, неправильному дыханию, напряжению и нервозности, отсутствию уравновешенности и уверенности в себе, плохому расположению духа.

У МЕНЯ НЕТ ВОЛШЕБНОГО ЛЕКАРСТВА ОТ НЕРВНОГО РАССТРОЙСТВА И НЕРВНОГО ИСТОЩЕНИЯ

Поймите, у меня нет волшебных лекарств от нервных заболеваний. Я не прописываю лекарств, не ставлю диагноза и не лечу болезни, как другие врачи. Я учитель и даю советы людям по программе естественной жизни, как содержать тело в хороших физических условиях. Эта программа включает, изменение повседневных привычек, еды, упражнений, сна, купания, дыхания. К ним относятся также вопросы голодания, релаксации, принятия определенных поз, техники созерцания.

Человек, который от хронической усталости переходит к созданию мощной нервной силы, должен иметь полный контроль над телом и умом.

ЖИВИТЕ ТАК, КАК ТРЕБУЕТ ЭТОГО ПРИРОДА

Одна из основных идей этой книги — постепенное возвращение к более естественной жизни. В мыслях, еде, в повседневных привычках, в борьбе за простоту жизни. Попытайтесь достичь близости с природой, слейтесь с ней.

Начните жить так, как природа того хочет. Ищите то, чего она требует от вас, и стремитесь участвовать во всем счастливом и растущем. Отдайте себя в руки матери-природы, и пусть ее путь совпадает с вашим. В ваших ежедневных созерцаниях повторяйте снова и снова: «Я дитя Бога и природы».

Когда вы живете естественной жизнью, вы остаетесь наедине с природой. И когда вы станете частью природы, вы достигнете высочайшей психической нервной силы.

Счастье — это то, что мы все ищем, и когда находим его, то дальше уже и не идем. Подобно детям, старайтесь получать удовольствия от простых вещей. Но мы усложняем свою жизнь и, более того, истощаем нервную силу. Живите спокойно и с удовольствием, укрепляя здоровье. Найдите радость в жизни и в поклонении природе. И если мы живем по ее законам, культивируя счастье и деля его с теми, кто ближе и дороже нам, то чем здоровее мы будем, тем больше нам будет удаваться эта деятельность. Лучшая религия — это доброта и понимание.

Чтобы иметь хорошую нервную силу, мы должны изучить великие законы природы и жить по ним. Цель этой книги — показать, как жить по этим законам, получая взамен здоровье и счастье. Царство небесное — внутри вас! Создавайте же его здесь, сейчас!

Доверяя природе, следуя ее законам, соизмеряя свои физические возможности и заботясь о них, вы можете создать мощную нервную силу, которая принесет вам невероятное счастье. Известно, что тело — самовосстанавливающийся и самозаживающий механизм. Дайте ему возможность, и его восстановленные силы могут сделать вас совершенно новым человеком.

ИСКУССТВО ЖИТЬ ДОЛГОЙ, ЗДОРОВОЙ, СЧАСТЛИВОЙ ЖИЗНЬЮ

Один из лучших рецептов продолжительной здоровой и счастливой жизни — жить по законам природы и Бога. Считайте каждый день маленькой жизнью и делайте его как можно полнее и совершеннее. Все, что вы посеете в один период жизни, пожнете в другой. Живите хорошо сегодня, и тогда вы будете иметь лучшее завтра. Пытайтесь оставаться таким же, как сейчас, духовно и физически (или делаться лучше) на следующий день рождения.

Но вы должны знать о себе все. Момент, когда ослабнет ваша «стража», враг бросается на вас и поражает в самое слабое место. Правда, вы можете жить долго и счастливо, не пытаясь этого делать, но вы будете счастливым и проживете длинную жизнь, если приложите к этому усилия... Умение жить долго и счастливо — это искусство. Человек, который специально настраивает себя, чтобы продлить свои дни и быть счастливым, имеет для этого огромные шансы.

ВЫ ДОЛЖНЫ СОЗДАТЬ СВОЮ СОБСТВЕННУЮ НЕРВНУЮ СИЛУ

Я уже говорил, что не имею волшебного лекарства для нервнобольных людей. Создать крепкую нервную силу должны вы и только вы. День за днем жить и помнить, как это важно. Я дам вам программу в этой книге. Но я не могу жить за вас, и никто этого не сможет сделать. Никто не сможет есть, дышать, делать упражнения, созерцать за вас. Чем больше вы поработаете для этого, тем больше получите отдачи.

Программа заключается не только в том, чтобы дать вам крепкую нервную силу, но также в том, чтобы сделать вас более устойчивой личностью физически и духовно. Дать больше жизни, мира, спокойствия, и прежде всего — счастья, истинной радости жизни.

Это ваша жизнь, вы действительно должны наслаждаться ею. Я верю, что царство небесное внутри каждого человека. Но, чтобы достичь состояния радости жизни, мы должны поработать. Мы должны заслужить это. Этого нельзя купить. Вы получите от жизни и от программы естественной жизни ровно столько, сколько усилий затратите на это.

Нервная сила — это наиболее тонкий талант природы. Она означает — счастье, здоровье, успех в жизни. Для этого нужно все знать о нервах. Вы должны знать, как расслабляться, успокаивать нервы так, чтобы после сильного нервного напряжения вы могли бы перестроить ваши нервные силы и чувствовать себя в норме духовно и физически.

БЕСПОКОЙСТВО — ЭТО УБИЙЦА

Большинство людей страдают от беспокойства, поэтому они никогда не смогут преодолеть свои несчастья, каждый день растрачивая по кусочку свою нервную силу. Есть один верный путь достичь полного нервного разрушения — это беспокойство. Беспокойство не разрешит, а только усугубит ваши проблемы.

У одной моей соседки проблем было больше, чем можно вообразить. Она терпела ужасные головные боли, которые почти сводили ее с ума. У нее был хронический запор. Она страдала от газов и от бессонницы. Ее муж был алкоголиком, а дети — мальчик и девочка — два диких подростка, которые не приносили ничего, кроме горя.

Бедная женщина беспокойством довела себя до катастрофы. У нее было множество различных расстройств. Наблюдения показывают, что в нашей стране тысячи и тысячи людей создают себе беспокойство и проблемы. Темпы самоубийств растут.

И вот эта соседка пришла однажды вечером к нам в дом и сказала мне о своих трудностях. Я ответил: все, что она делала раньше, ужасно. И если она последует законам природы, то сможет преодолеть свои проблемы. Я сказал ей, что ее беспокойство ничего не значит. Она сможет решить большинство проблем, если создаст свою нервную силу. Своей жизнью она пыталась сломать все законы здоровья и природной гигиены и этим только калечила свое физическое, эмоциональное и душевное здоровье.

Я ей честно сказал, что у меня нет волшебных лекарств. Все, что я мог сделать, это дать программу жизни, как следовать законам природы в отношении человеческого бытия.

ПРОГРАММА ЕСТЕСТВЕННОЙ ЖИЗНИ СПАСЛА САМОУБИЙЦУ

Первое, что я предложил соседке, исходя из программы естественной жизни,— поголодать в течение трех дней, не принимая ничего, кроме дистиллированной воды. На это время ей надо было уехать за город, где она могла бы иметь абсолютный покой.

Итак, эта дама жила на берегу озера среди соснового бора и в течение трех дней голодала. Таким образом она очистила организм от ядов, стала спокойнее и смогла смотреть на свои проблемы более объективно. Вместо 3 дней она решила голодать 10 дней. В результате ее организм очистился от ядов и в нем произошли громадные изменения. Ум стал свеж и ясен, и она смогла разобраться в своей жизни.

Я дал ей программу питания, лишил ее кофе, чая и всей мертвой пищи и посадил на месяц на вегетарианскую диету.

Я заставил ее заниматься созерцанием по 30 минут утром и вечером, во время которого она повторяла: «У меня есть энергия, чтобы разрешить мои проблемы», «Мое тело чистое после голодания, у меня созидательные мысли, а не разрушительные».

Вместо беспокойства о своих проблемах она нашла умиротворение в спокойных созерцаниях. После этого я дал ей программу создания совершенной нервной силы, изложенную в этой книге.

Соседка забыла о своих проблемах, начав голодать по 24 часа один раз в неделю и пользуясь очищающей диетой. Она сводила мужа на собрание анонимных алкоголиков, где обнаружила, что основатели этого общества знали о роли нервной силы. И это помогало ей повторять с членами общества при открытии каждого собрания (и во время ее собственных созерцаний) следующую молитву:

Дай мне безмятежность, чтобы принять неизбежное,

Смелость, чтобы изменить, что может быть изменено,

И мудрость, чтобы знать эту разницу.

Эта женщина разрешила и проблему с детьми. Она смогла найти контакт с ними, чего не могла сделать в течение многих лет. Дети теперь учатся в колледже.

Я был только ее учителем. Я только помог ей самой выкарабкаться из того состояния, в котором она находилась. И это я хотел бы сделать для вас, читатель этой книги. Я хочу научить вас, как можно создать мощную нервную силу, следуя законам природы.

АКТИВНАЯ ДЕЯТЕЛЬНОСТЬ НЕРВОВ НЕЖЕЛАТЕЛЬНА

Помните, жизнь течет через ваши нервы. Беспокойная и деятельная нервная система — величайшее достижение природы, именно через нервы мы получаем все удовольствия, которые определяют ценность жизни. Быть нервно медлительным — означает быть духовно и физически вялым, нечувствительным к высшей фазе жизни, неспособным к глубоким эмоциям, к любви, не проявлять силу характера. Правда и то, что высокая чувствительность и активность нервов при злоупотреблении угрожает здоровью. Но не считайте несчастьем, если вы родились с активными нервами, хотя это и означает, что вы сидите на бочке с порохом, которая может взорваться, если вы не будете обращаться с ней с величайшей осторожностью.

Эта программа поможет вам контролировать ваши нервы, поможет создать крепкую нервную силу и научиться использовать ее по назначению.

ДВЕ СТОРОНЫ ЩИТА

История рассказывает о двух рыцарях, которые убили друг друга из-за цвета королевского щита, который был подвешен в центре огромного зала в замке. Один рыцарь говорил, что щит красный, другой — зеленый. После трагического сражения кто-то взглянул на обе стороны щита — одна сторона была красная, другая — зеленая.

Есть также две стороны щита здоровья — физическая и духовная, — и обе они важны. Печально, что раньше считалось наиболее важным физическое здоровье. Теперь мы знаем, что мы и духовно должны быть здоровыми. Первое мы осуществим с помощью программы естественной жизни, второе — ежедневными созерцаниями, где встретимся сами с собой и найдем разумные и логичные ответы на ежедневные проблемы, которые ставит перед нами жизнь.

Обе эти стороны — физическая и духовная — так тесно переплетены, что невозможно разделить их. Физическое здоровье воздействует на духовную жизнь, и духовный контроль дает необходимую дисциплину для поддержания физического здоровья.

> Ничто не сможет принести вам мир, кроме вас самих.
>
> *Ральф Уолдо Эмерсон*

СИЛЬНЫЙ УМ В СИЛЬНОМ ТЕЛЕ

Для совершенного здоровья, включая крепкую нервную систему, мы должны иметь сильный ум в сильном теле. Тело не бессловесно, но оно действует не через рассудок и ум, а через пять органов чувств. Первая реакция вашего тела на возбуждение — удовлетворение чувств. Мы хотим удовлетворить чувство голода, например: съесть что-нибудь приятное на вкус, не считаясь с тем, полезно это для здоровья или нет. Стандартная американская пища лишена витаминов и питательных веществ. Тело становится слабым, нервная сила истощается. Но вместо длинной дороги к здоровью тело ищет удовлетворения во временном, но ложном ощущении благополучия, создаваемого кофе, чаем, алкоголем, табаком. Это временное положение, однако, приводит к дальнейшему истощению, к применению сильных наркотиков для создания ощущения благополучия. Такой образ жизни — это план медленного самоубийства и духовного вырождения.

Таким образом, чтобы сделать тело сильным, мозг должен быть тоже достаточно сильным, чтобы взять на себя контроль над телом, установить и поддерживать полезные для здоровья жизненные привычки. Для здорового тела нужны здоровый дух и крепкая нервная сила.

БУДЬТЕ НЕВОСПРИИМЧИВЫ К БЕСПОКОЙСТВУ

Сильный ум генерирует положительные мысли и помогает держать мысли и впечатления под контролем, поэтому ваше тело должно быть достаточно сильным, чтобы в случае неожиданности сопротивляться им. Собственно говоря, функционирование тела должно иметь механическую четкость, чтобы противодействовать отрицательным духовным вмешательствам.

Наш первый долг поэтому — заставить тело следовать программе натуральной жизни. И как только мы улучшим физическую часть человеческой машины, мы также улучшим и духовную. Мозг потребляет в пять раз больше крови, чем любой другой орган. Удовлетворите все его нужды, и он будет вам благодарен. Если я выведен из душевного равновесия, я все же могу пройти двадцать миль с пользой для себя, но, если я физически болен, я не смогу и двадцати минут ясно и деятельно думать. Поднимая свой физический уровень, вы поднимете и духовный. Если вы хотите получить полное удовольствие от своего ума, будьте в полном согласии с собственным телом.

Если во время утренней работы за письменным столом у меня не хватает духовных сил, я обращаюсь за объяснениями к физической стороне. Мои растерянные мысли, спотыкающиеся предложения — что за причина этому, где лекарство? Я, вероятно, найду его в соразмерности дыхания, частоте пульса, ритме крови. Поэтому я совершу энергичную продолжительную прогулку по свежему воздуху, используя диафрагмальное дыхание.

Мозг начинает проясняться. Кислород снимает паутину с моего мозга. Возвращаюсь, полон творческих помыслов, сажусь за машинку, и слова сами текут из головы к кончикам пальцев.

Физическое здоровье обычно дополняет умственное. Большинство болезненных состояний мозга может происходить за счет плохого функционирования нервной системы, ядов в крови или из-за других физических причин. При Исследовательском центре мозга в медицинской школе в Лос-Анджелесе, Калифорния, ведутся интенсивные и обширные исследования по выяснению влияния физических причин душевных заболеваний и расстройств.

Я думаю, что все душевные состояния имеют физическое объяснение. Бодрость может быть результатом действия солнечных лучей на ткани с тонизирующим и целебным эффектом. Это в дальнейшем будет успокаивать вашу нервную систему.

Улыбка — вот пример тесного взаимодействия духовного и физического начал. Мы улыбаемся, когда нам хорошо, и мы счастливы. Но сможете ли вы улыбнуться, когда вам плохо? Попытайтесь! Физически улыбка почти всегда снимает душевную реакцию, заставляя человека чувствовать себя лучше. Но не забывайте, что это требует душевного напряжения, чтобы заставить себя улыбаться, а не плакать. Греки говорили: «Здоровый дух в здоровом теле». Никто никогда не сказал лучше.

Давайте же использовать необходимую духовную дисциплину для установления физической дисциплины, чтобы сделать тело глухим к отрицательным мыслям, и это, в свою очередь, поможет держать мозг здоровым и спокойным.

Укрепляйте свои мускулы и мозг! Тогда вы достигнете идеального равновесия в совершенном здоровье, физическом и духовном.

> Ничего великого нельзя достичь без энтузиазма.
>
> *Ральф Уолдо Эмерсон*

НЕРВНАЯ СИСТЕМА

Чтобы установить идеальный баланс совершенного здоровья, вам нужна мощная нервная сила, которая запасается в многочисленных нервных клетках, образующих нервную систему. Она состоит из двух частей.

1. Внешняя нервная система. Она контролирует поверхность кожи и мускулы, то есть приводит в движение мускулы рук, ног, головы и др. и делает кожу чувствительной к теплу, холоду и повреждениям.

2. Внутренняя нервная система известна как симпатическая. Она управляет внутренними органами.

Мозг — главный центр всего организма, «операторное помещение», из которого задаются программы человеческой «вычислительной системе».

ТРИ ФОРМЫ НЕРВНОЙ СИЛЫ

Нервная система управляется с помощью трех форм нервной силы.

1. Мускульная нервная сила. Это, конечно, сила, создающая мускульное действие. Насекомые и низшие животные обладают мускульной нервной силой, которая по сравнению с их размерами огромна. Если бы слон обладал мускульной нервной силой в той же степени, как блоха или клоп, он мог бы прыгать через горы и разрушать высочайшие небоскребы.

2. Нервная сила органов. Высокая ее степень создает крепкое здоровье и способность сопротивляться болезни. Это означает долгую здоровую жизнь.

3. Духовная нервная сила. Здесь существенно качество. Мощная духовная нервная сила создает сильный интеллект, хорошую память, духовную выносливость.

Высокая духовная нервная сила означает хорошо сбалансированную личность, в совершенстве владеющую своими эмоциями. Стрессы и нервное напряжение не влияют на ее жизнь. Человек — хозяин своей судьбы. Его духовная нервная сила так высока, что на него не действуют мелкие придирки и раздражения, при которых люди с низкой силой выходят из себя.

Когда ваша духовная нервная сила высока, никто не может вас стащить с вашего пьедестала блаженства. Вас никогда не выведут из духовного равновесия. Вы обычный человек, который наслаждается постоянным состоянием душевного блаженства. Вы находитесь в духовном равновесии. Вы живете мудро и в довольстве.

Четыре века назад поэт Берд выразил это в псалмах и сонетах:

> Мой ум — мое царство,
> Такую совершенную я нашел радость,
> Что это превышает все другие блаженства,
> Созданные богом и природой.

РАВНОВЕСИЕ НЕРВНОЙ СИСТЕМЫ

Природа стремится к совершенному равновесию, и когда человек нарушает это равновесие, то впадает в беспокойство. Существует три фактора, которые нарушают равновесие нервной системы: нервное истощение, нервная депрессия, нервное напряжение.

В этой книге я не использую научную терминологию, так как хочу, чтобы даже неспециалисты приняли те практические идеи, которые я хочу выразить. Когда я упоминаю о нервной системе, я обычно имею в виду внешнюю и внутреннюю нервную систему.

НЕРВНОЕ ИСТОЩЕНИЕ

Как уже указывалось, нервные клетки являются резервуарами нервной энергии. Очевидно, что, если они будут заполнены наполовину, это значит, что вы уже наполовину истощены. Таким образом, ваши жизненные органы и мускулы будут получать только половину питающей нервной силы, необходимой для совершенного функционирования.

Когда наши нервные клетки заполнены нервной энергией, то нервное давление очень высоко. Мы тогда полны бодрой физической и духовной энергией. Задачи не кажутся тогда чересчур сложными, напряжение слишком суровым.

Вы становитесь человеческой динамо-машиной. Вы обладаете удвоенной энергией и жизнеспособностью среднего человека, и вы никогда не знаете, что такое утомление. В ваших резервуарах так много энергии, что вы абсолютно не устаете. Вот чего я достиг и чем хотел бы поделиться с вами. Как я говорил ранее, я прошел через нервное истощение. Истощение нервной системы и небрежное отношение к ней ведут к целой группе различных внутренних физических и духовных расстройств и слабости. Каждый мускул, каждый орган действуют, каждая клетка человеческого тела зависит непосредственно от нервов, и поэтому неизбежно, что нервное истощение должно действительно ослаблять тело и нарушать его функции.

Неизбежно также и то, что ваша нервная сила будет оставаться истощенной. Вы можете перестроить ее. Вы не должны быть утомленным и только наполовину бодрым. Природа хочет видеть вас полным нервной энергии и жизнеспособности — независимо от вашего возраста. Следуйте программе, изложенной в этой книге, и вы наполните ваши резервуары динамичной нервной силой.

НЕРВНАЯ ДЕПРЕССИЯ

Нервная депрессия означает прекращение поступления нервного потока из резервуаров, подобно тому, как мы прекращаем поток воды из садового шланга, наступив на него ногой. Поэтому здесь не имеет значения, насколько полны резервуары — внутренние органы не могут получить нормального питания нервной силой из-за нервной депрессии.

Разница между нервным истощением и нервной депрессией заключается в том, что нервное истощение — это скорее глубоко сидящая общая слабость нервной системы, в то время как нервная депрессия может быть временным явлением. Беспокойство, горе, например, вызывает сильную нервную депрессию, которая может быть даже причиной смерти. Выражение «умер от разбитого сердца» в таких случаях является верным — сердце действительно бывает парализовано. Нервная депрессия производит прямой и сильный парализующий эффект на жизненные органы. Человек, который жалуется, что он до смерти обеспокоен, возможно, говорит фатальную правду. Беспокойство расстраивает здоровье, угрожает жизни. Однако мы живем сегодня и должны смотреть в лицо беспокойству. Не думайте, что вы можете избежать его, но, если ваша физическая и духовная энергия достаточно высока, вы можете воспринимать любое беспокойство. С вашими резервуарами нервной силы вы просто можете перешагнуть через него.

НЕРВНОЕ НАПРЯЖЕНИЕ

Нервный стресс и напряжение, созданные гневом или страхом, могут окончиться мгновенной смертью. Во время великой депрессии 30-х годов я лично знал бизнесменов, которые умирали от стресса, оказавшись финансовыми банкротами.

При нервном напряжении большое количество нервной силы тратится в короткий промежуток времени, вызывая интенсивную деятельность жизненных органов. Все мы наблюдали за сильным сердцебиением, частым дыханием и активной деятельностью кишечника, например, при испуге. Нервные стрессы и напряжения создают чрезвычайную трату нервной силы. Вот почему мы чувствуем себя как бы выжатыми после внезапного испуга или ссоры.

При интенсивном нервном напряжении даже человек, у которого нервные резервуары истощены до самого дна, может в короткий период излить огромное количество нервной энергии, созданной необыкновенной силой.

Я недавно читал о двух подростках пятнадцати лет, которые находились в лесу, когда вдруг началась сильная буря. Молнией свалило дерево, которое упало на одного из мальчуганов. Он закричал от боли и страха. Другой подросток, обладая огромной нервной силой, поднял тяжелое дерево, освободив друга, поднял его на плечи и пробежал пять миль, чтобы другу оказали первую помощь. На следующий день родители пострадавшего и еще три человека пошли на место происшествия. Четыре полных силы человека не смогли сдвинуть с места дерево, которое поднял подросток, спасая друга. Мы хотим создать мощную нервную силу, чтобы держать наши резервуары полными и быть готовыми к любым случайностям.

ФИЗИЧЕСКОЕ ИЗНАШИВАНИЕ

Когда наша нервная сила истощена, мы чувствуем духовную и физическую усталость. И стимулируем себя напряжением воли. Затем мы пытаемся бороться с усталостью с помощью вредных для здоровья стимуляторов, таких как чай, кофе, алкоголь, подстегивая этим нервы и держа их на грани нервного срыва. Потом мы начинаем чувствовать себя старыми, хотя молоды по годам, так как наша нервная сила становится все более истощенной. Наблюдаются все более явные нарушения ваших духовных, физических и внутренних сил. Мы теряем сексуальное чувство, блеск глаз, упругость походки, кожи и мускулов. Отсюда замедленное действие и внутренних органов. Мы можем набирать или терять вес и потом просто превратиться в «кучу отбросов».

НАРУШЕНИЕ ОБМЕНА ВЕЩЕСТВ

Нервное возбуждение серьезно нарушает основные процессы, происходящие в организме. Метаболизм — это процесс, посредством которого питательные вещества создают живую ткань. И живая ткань «сгорает», создавая энергию. Каждая клетка тела постоянно участвует в процессе обмена веществ, как и каждый живой орган. Этот процесс жизни — основа здоровья и жизненной энергии. Когда нервы находятся в нормальном состоянии, существует сбалансированная гармония между процессами метаболизма.

Если же нервная сила истощена или возбуждена, то естественное равновесие нарушается, и в результате мы получаем чрезмерные потери или прибавки в весе. Правильная диета поэтому не может быть изменена калориями. Мы должны есть ту пищу, которая будет помогать создавать нашу нервную силу для того, чтобы было достаточно нервной энергии для превращения пищи в ткань и затем в энергию, поддерживающую сбалансированный обмен веществ.

РАССТРОЙСТВО СОЛНЕЧНОГО СПЛЕТЕНИЯ

Как установлено ранее, симпатическая нервная система управляет жизненно важными органами. Основная часть этой системы известна как пневмогастрическая нервная система, центром которой является солнечное сплетение — «брюшной мозг», известный в учении йогов как второй мозг человека.

Пневмогастрическая нервная система управляет дыханием и перевариванием, поэтому ее так назвали: пневмо (легкие) гастрической (брюшной). Она тесно связана со всеми жизненными органами. Самое небольшое нарушение нервной системы серьезно действует на пневмогастрическую нервную систему. Все наблюдали, что когда мы нервничаем, появляется беспокоящее чувство в области живота — воздействие на солнечное сплетение. В случае серьезного нервного напряжения желудок может отказаться от принятия пищи, и тогда начинается рвота.

«НЕРВНОЕ» НЕСВАРЕНИЕ ЖЕЛУДКА

Почти каждая форма желудочных и кишечных расстройств может быть связана непосредственно с расстройствами и ненормальными условиями пневмогастрической нервной системы. Это применимо особенно к группе заболеваний под общим названием «нервные желудочно-кишечные расстройства». Большинством людей они воспринимаются как временный дискомфорт, который можно ликвидировать аптечными средствами. Такое отношение лишь отодвигает день расплаты.

Сюда входят вспучивание от газов, изжога, повышенная кислотность, раздражение и распирание желудка — и в результате — учащение дыхания и давление на сердце. Это создает нарушение сердцебиения, а в некоторых случаях сердечную недостаточность.

Частое вспучивание желудка вследствие образования газов нередко приводит к хроническому расширению и образованию «карманов», из которых пища не может выйти. Это очень серьезно и приводит к язве желудка. Известный хирург говорил, что множество желудочных расстройств — результат изъязвления желудка.

Поэтому мы должны бороться с первыми признаками «нервного» несварения желудка. А для этого необходимо выяснить причину недуга.

ЗАПОР

Нервное истощение — одна из причин запоров. Действие кишечника зависит как от нервной стимуляции, так и от деятельности сердца и легких. Кишечник человека, имеющего хронический запор, начнет двигаться при сильном нервном шоке (ссора, неожиданное печальное известие, сильное эмоциональное расстройство). Определенная пища, естественно, увеличивает запор. Для того чтобы его не было, ваша пища должна содержать большое количество жидкости и смазки. Эти важные элементы найдены в сырых грубых овощах, таких как капуста, сельдерей, свекла, морковь.

Многие люди скажут, что они не могут есть сырых овощей и фруктов. Это потому, что нервная сила в желудке и кишках у них в полном упадке, и они не имеют достаточно нервной энергии, чтобы усвоить такую пищу. Вот почему так много людей приходят к нервному крушению. Они не могут усвоить любую еду и поэтому плохо питают нервную систему. Я встречал людей, у которых нервная сила была настолько низка, что они умирали от истощения.

ПИТАЙТЕ ВАШИ НЕРВЫ, НЕ ПОДСТЕГИВАЯ ИХ

Желудочно-кишечные недомогания чрезвычайно нервных людей ведут к дурным последствиям. Во-первых, нервное истощение повреждает мощные пищеварительные органы. Они, в свою очередь, создают токсические яды, которые дальше истощают нервы. Когда нервная ткань «сгорает» с токсическими ядами, нервы не могут функционировать как следует.

Нервы каждой жертвы несварения желудка, особенно нервного несварения, также страдают от этого. Мало кто, однако, представляет себе, что начало заболевания лежит в слабости нервов (нервном истощении).

Люди с поврежденными нервами должны проявлять величайшую заботу в выборе пищи. Пища, которая постоянно причиняет несварение, должна быть исключена. Многие лица, которые пьют, например, кофе, будут страдать от несварения впоследствии. То же самое будет с теми, кто употребляет много печенья, пирогов, кексов, леденцов, сосисок, хрустящего картофеля, перетопленного сала, свинины, ветчины, бекона, закусок из мяса. Большинство людей имеют различные нарушения пищеварения от пива и других алкогольных напитков.

Алкоголь и табак, а также напитки, содержащие кофеин (кофе, чай, кола), действительно подстегивают нервы, что приводит их в действие, на совершение которого они не имеют энергии. Кофеин стимулирует нервную систему. Пьющий кофе человек взбадривается, потому что кофеин приводит в действие нервную энергию из последних резервов. Это, конечно, приводит к полному нервному истощению и серьезным заболеваниям нервной системы.

Согласно анализу, проделанному фармакологическим совещанием Американской медицинской ассоциации, средняя чашка кофе содержит около двух гран кофеина. Когда вы пьете шесть чашек кофе в день, вы получаете 12 гран кофеина. Средняя терапевтическая доза кофеина составляет 7 гран и используется как стимулятор в критических случаях, таких как пневмония и шок. К примеру, средний потребитель кофе получает около двух терапевтических доз в день. Неудивительно, что так много нервных больных. Вы не можете подстегивать ваши нервы стимуляторами и надеяться жить нормальной, здоровой, счастливой жизнью.

ДУШЕВНЫЕ РАССТРОЙСТВА

Физические боли и болезни, которые появляются от нервного истощения, как бы они ни были велики, меньше по значимости в сравнении с душевными страданиями. Первый признак душевного расстройства — обычно недостаток концентрации энергии, затем идет потеря памяти, головокружение, чрезвычайная раздражительность, сверхчувствительность, губительные склонности и, наконец, что страшнее всяких неврастений, — безумие...

РАЗВИТИЕ НЕВРАСТЕНИИ

Неврастения — это невротическое состояние, характеризуемое беспокойством и нарушением пищеварения и циркуляции. Она подкрадывается без предупреждения. Это наиболее коварная из всех опасностей здоровья. Она причиняет величайшие несчастья. Развивается неврастения в соответствии с индивидуальным характером, но обычно следующим образом.

1 стадия. Сначала приходит недостаток энергии и выносливости — чрезвычайное напряжение, чувство усталости, ощущение, что тело налилось свинцом и находится как бы на привязи. Хочется постоянно дремать. Мозг утомлен, слабая циркуляция, внутренние органы работают замедленно.

2 стадия. Здесь предупреждением являются нервное несварение желудка, газы, брожение, повышенная кислотность, изжога, запор, частые мочеиспускания. Дыхание становится поверхностным и затрудненным, барахлит сердце. Наблюдаются ослабление зрения и половой силы, уменьшение выносливости и концентрации энергии. Неврастения характеризуется головокружениями, невритами, бессонницей и другими страданиями, такими как раздражительность и сверхчувствительность. Человек набирает или сбрасывает вес вследствие нарушений процессов обмена.

3 стадия. Чрезвычайная нервность переходит в нервное истощение с душевными расстройствами и провалами памяти. Происходит ухудшение эмоционального состояния, характеризуемое постоянным беспокойством и меланхолией. Наблюдаются серьезные расстройства органов, галлюцинации, склонность к самоубийству и, наконец, безумие. Установлено, что у 95 процентов всех людей в большей или меньшей степени нервная сила истощена.

У нас огромное число курильщиков. Курение — это «нервная» привычка. Большинство людей должны успокоить свои истрепанные нервы, и они взбадриваются от допинга в сигаретах. Неважно, что никотин — яд, и курение вызывает легочный рак. Курильщики привыкают к этому яду, и им очень трудно избавиться от этой привычки. То же самое относится и к другим ядам, которые употребляются для возбуждения нервов — чай, кофе, алкоголь, кола и другие наркотические средства.

Здесь срабатывает закон компенсации: вы не можете получить что-либо, ничем не заплатив. Около 50 процентов всех больничных коек Америки заполнены людьми с душевными расстройствами.

Сегодня душевные заболевания — наиважнейшая проблема во всем мире.

«НЕБОЛЬШОЕ ИСТОЩЕНИЕ»

Как часто вы слышите о людях, бегающих от доктора к доктору, чтобы узнать, что с ними случилось. Хотя повторные осмотры ничего не дают, они стоят на своем. Обычный приговор психиатра: «У вас нет ничего серьезного, вы немного истощены. Вам нужно как следует отдохнуть». Почти в каждом случае реальной причиной недомогания является нервное истощение. А это действительно серьезная опасность.

В наш век нервы так напряжены, что почти каждый человек в какой-то степени является жертвой нервного истощения. Чем тоньше духовная организация человека, тем больше опасность нервного срыва. Вот почему ежегодно в США в психиатрических больницах находится более 300 000 человек. И все более увеличивается число умственно отсталых детей, которые представляют величайшую проблему для образования в нашей стране.

Душевные заболевания подкрадываются к своей жертве совсем незаметно. Существует много форм нервозности.

Одна из форм — унылость, другая — болтливость. Некоторые люди чувствуют скованность, другие сверхчувствительны, плаксивость у них переходит в эмоциональные вспышки, для третьих характерны агрессивность, готовность ссориться и сражаться все время.

Можно долго перечислять нервные состояния, такие как головные боли, несварение желудка, острые сердечные боли, учащенное сердцебиение, дрожание рук и пальцев. Эти люди теряют ко всему интерес и сидят, ничего не делая. Другие время от времени срываются и бегут как на пожар. Они чувствуют, что должно случиться что-то ужасное с ними или их кто-то разлюбит. Множество людей подавлены различными страхами.

ШЕСТЬ ОСНОВНЫХ СТРАХОВ

Большинство людей, если их спросить, чего они боятся больше всего, отвечают обычно: «Ничего». Это неверно, потому что каждый человек в какой-то период жизни является жертвой одного из шести основных страхов: страха бедности, болезни, старости, потери любви, страха перед людским судом и страха смерти. Миллионы людей живут все время в высоком нервном напряжении. Их нервная сила постепенно убывает, и в конце концов они получают нервный срыв.

Страх захватывает и материальную, и духовную стороны жизни. Он затрудняет даже задачу обеспечения предметами первой необходимости: пищей, жильем, одеждой. Уничтожает инициативу, энтузиазм, амбиции, подрывает уверенность в себе и душит воображение. Страх порождает жадность, бесчестность, подлость, злобу и раздражительность в отношении с окружающими.

Страх ужасен, потому что он постоянно находится в подсознании, где его легко найдет даже жертва. Если страх раскрыл свое присутствие острыми болями, в частности головными, это менее безнадежно, так как его присутствие определено и его жертва должна что-то делать, чтобы избавиться от него. Но страх приходит подобно вору ночью и отравляет мозг так, что тот не может нормально функционировать.

Только вы сами можете узнать о существовании ваших страхов. Вы можете контролировать состояние своего ума, когда создадите большие запасы нервной энергии. Страшные мысли проходят, когда есть мощная нервная сила. Это не может быть куплено ни за какие деньги, это может быть только создано вами.

Величайшим фактором в выведении страны из состояния величайшей депрессии 30-х годов было заявление президента Рузвельта: «Нам нечего бояться, кроме самого страха». Это — правда. Страх парализует. Но если, простите за каламбур, мы без страха встретим наши страхи, мы победим противника.

Страх бедности

Не может быть компромисса между бедностью и богатством. Дороги к ним противоположны по направлению. Если вы хотите быть богатым, значит, вы должны отбросить все, что ведет к бедности. Слово «богатый» используется здесь в самом широком смысле, означающем не только финансовое положение, но также здоровье и постоянную жизнеспособность, энергию, долгую полноценную жизнь. Для меня величайшим богатством является здоровье.

Страх бедности — это состояние ума, вызванное нервным истощением. Восстановите нервную силу и вы избавитесь от страха бедности. Создавая постоянно мощную нервную силу, вы уже пойдете по дороге здоровья и богатства.

Страх болезни

Зерна страха болезни живут в каждом человеческом мозгу. Для того чтобы эти зерна не зацвели ужасным цветом, ваш долг — создавать для себя нервную силу самого высокого уровня.

Когда нервная сила снижена, каждая боль взрывается смертельной болезнью. Начинает работать воображение. Простая головная боль превращается в воспаление мозга. Если вы будете жить по программе естественной жизни, данной в этой книге, вы забудете о страхе перед болезнью.

Вы создаете ваши болезни нездоровыми ежедневными привычками. Когда вы едите безжизненную пищу без витаминов и минеральных веществ, ваш организм страдает от недостатка полезных компонентов. Если вы ленивы и отказываетесь создать хорошую циркуляцию соответствующими упражнениями, вы идете на то, чтобы иметь какие-либо нарушения.

У вас никогда не будет страха болезни, если вы живете по законам природы. И этому я научу вас в этой книге. Живите по законам природы — и вы получите в награду крепкое здоровье.

Страх старости

Когда нервная сила падает до низкого уровня, этот огромный страх берет власть над мозгом. Человек видит себя старым и хилым, слепым, глухим, дрожащим, безобразным. С этим страхом мы должны бороться, придерживаясь здорового образа жизни и используя положительные эмоции.

Во-первых, нет такой вещи, как старость, так как нет клеток в нашем теле старше одиннадцати месяцев, за исключением костей и зубов. Каждый день мы теряем множество клеток и каждый день создаем миллионы новых. Так какая же наша часть старая? Нет таких частей. Наши враги —

не дни рождения, а яды, которые попадают в наше тело и преждевременно старят нас.

Мы много раз слышали: «Человек так стар, как его артерии». И это совершенно верно. Множество людей в 70, 80 и даже 90 лет имеют гибкие, чистые артерии. У них неплохая циркуляция, хорошее зрение и слух. Они изучили, как держать свои артерии свободными от засорений, отбросов и токсических материалов.

С другой стороны, вы найдете людей 40, 50 и 60 лет, которые засорили артерии и поэтому преждевременно чувствуют свой возраст.

Помните, что есть два вида возраста — ваши календарные годы и биологические. Календарные годы ничего не значат, если вы живете по законам природы. У меня есть друзья, которым свыше 100 календарных лет, а их планы превосходят планы многих 40—50-летних людей. Они нашли источник молодости в здоровой жизни.

Моему хорошему другу Рою Уайту из Калифорнии 107 лет, однако его тело не знает усталости, боли и возраста. Он живет по законам природы. У него нет страха старости. По биологическим годам он молодой человек. И я могу назвать многих-многих людей, которые в их 80, 90 и даже 100 лет биологически молоды.

Наполните ваши резервуары нервной силой до высшего уровня — и вы навсегда изгоните мысли о старости. Моя программа научит вас, как дольше прожить молодым.

Страх перед людским судом

Когда нервная сила падает до нижнего уровня, вы становитесь очень чувствительными. Вы чувствуете, что все смотрят на вас и осуждают. Чтобы избавиться от этого страха, первое, что вы должны сделать,— понять, что многие люди завистливы. Единственный путь, которым они могут оправдать собственную слабость,— это постоянно осуждать кого-либо. Таким осуждением являются даже сомнительные комплименты. Но если вам завидуют, значит, вы можете совершить что-то такое, что другие не могут сделать.

Мои друзья, ветераны политической арены, часто замечают: если в вас никто не пускает ядовитых стрел, значит, вы ни в чем не делаете успехов. Поэтому надо беспокоиться, когда о вас не треплют языками, потому что это значит, что вы топчетесь на одном месте.

Помните, что бы вы ни делали, вы не сможете сделать приятное сразу всем, будь то даже самые близкие родственники. Я хорошо помню, как много лет назад, когда я начал свой путь к здоровой жизни, некоторые из моих братьев и сестер критиковали меня и называли «здоровым сумасшедшим», «чудаком пищи», «здоровым чудаком» и другими не совсем приятными словами. Но моя нервная сила была на высоком уровне, и они не могли разрушить мир моего ума. Долгие годы доказали, что я был прав и получил в результате крепкое здоровье. Я уже достаточно долго прожил после того, как похоронил своих критиков.

Я живу наедине с богом и природой и обладаю высоким уровнем умственных, физических и духовных сил. Так почему же я должен позволять каким-то больным умам влиять на себя?

Когда я живу правдой и умом, пустячная критика не может задеть меня. Поэтому будьте и вы непроницаемы для клеветы.

Страх потерять любовь

Когда у вас упадок нервной силы, то появляется комплекс неполноценности. Вы теряете уверенность в себе, чувствуете неполноценность, начинаете бояться, что кто-то отнимет у вас близкого и дорогого вам человека. Есть только один путь победить этот гложущий вас страх — это поднять нервную силу посредством естественной жизни так высоко, что любое чувство неполноценности покинет вас навсегда.

Ревность — это такая вещь, с которой мы все должны бороться. Мы можем любить кого-то, но это не означает, что человек — ваша собственность. Когда вы восстановите вашу нервную силу, вы поймете мудрость того положения, что каждый человек может жить своей собственной жизнью. Создайте такую нервную силу, чтобы быть выше ревности, выше страха потерять возлюбленного.

Любовь — самая большая сила в мире. Любите — и вы будете любимы. Помните, что вы не сможете никогда потерять того, кого вы любите и кто любит вас. Если вы отдаете вашего возлюбленного, можете быть уверены, что он (она) не был действительно вашим любимым.

Вы должны помнить, что в мире существует множество непостоянных людей, и не надо плакать об этих потерях. По этому поводу можно вспомнить классические строки:

> Лучше иметь любовь и потерять ее,
> Чем не иметь ее вовсе.

Страх остаться одному и не быть любимым, хотя и посещает многих людей, беспричинен. Всегда есть кто-то, кто нуждается в вашей любви и кто хочет любить вас. Ищите и найдете. Все, в чем вы нуждаетесь,— это уверенность, которая приходит со здоровьем и мощной нервной силой.

Страх смерти

Страх смерти подкрадывается, чтобы мучить мозг, когда нервной силы мало. Некоторые люди живут в постоянном страхе смерти. Мысли о неизлечимых болезнях, кажется, заменяют им все духовные интересы. Психиатрические больницы заполнены мужчинами и женщинами, которые стали безумными из-за страха смерти. Этот страх бесполезен, смерть придет независимо от того, думают о ней или нет. Шекспир сказал:

> Трусы умирают много раз до смерти,
> Доблестный умирает только раз,
> Кажется странным, что человек боится,
> Ибо смерть — необходимый конец —
> Придет тогда, когда придет.

Принимайте смерть как необходимость и выбросите вечный страх перед смертью из головы. Молодость — это приготовление к старости, жизнь — это приготовление к смерти. Если вы добросовестно работали всю жизнь, выполняли свой долг перед людьми и привели дела в порядок, почему вы не можете встретить смерть с достоинством? Если вы живете долго, не закрывайте глаза на смерть. Говорите о ней без содрогания, принимайте как должное, готовьте себя к встрече с косой. Вся жизнь — приготовление к смерти. Ведите себя так, чтобы вы могли уйти на тот свет без раскаяния. Живите достойно, чтобы достойно умереть.

Сейчас, в атомный век, наука свидетельствует, что вся Вселенная — это энергия. И первый закон физики гласит, что энергия не создается и не исчезает. Она проявляется бесконечным числом путей в различных формах материи, но это все та же самая энергия. Она может быть преобразована, но не может быть уничтожена. Жизнь — это энергия. И если энергия не может быть уничтожена, то и жизнь не может быть уничтожена, как и другие формы энергии. Жизнь может проходить через различные процессы переходов и изменений, но все еще остается жизненной энергией. Смерть — это только переход.

Если смерть не просто изменение или переход, тогда после смерти ничего не происходит, кроме долгого мирного сна, а сна нечего бояться. Таким образом вы можете избавиться от страха смерти.

Для меня лично мысль о смерти очень далека. Я мыслю только терминами жизни. Я верю, что каждую ночь, когда мы засыпаем, мы умираем, а просыпаясь утром, мы начинаем новую жизнь. Так я делаю каждый день, насколько это возможно.

РЕКА МЫСЛЕЙ

Жизнь похожа на огромную реку, которая разветвляется на два потока. Один поток несет всех к успеху, здоровью и счастью. Другой течет в противоположном направлении и выносит всех к болезни, преждевременной старости, несчастьям и неудачам. Эта река не фантастическая и не искусственная, она существует так же, как Миссисипи, но течет в мозгу человека и состоит не из воды, а из мыслей. Поток успеха этой реки представлен положительными мыслями, поток неудач — отрицательными. И наибольшую опасность в негативных мыслях составляет страх.

РЕЛИГИЯ ПРОТИВ СТРАХА

Вера создает ценности. Страх уничтожает их. Вера — строит. Страх — разрушает. Так было с первого дня цивилизации, так будет до ее последнего дня. Все успехи начинались с веры. Все неудачи — со страха. Вот почему нам надо понять природу и причину страха и способ, как преодолеть его.

Страх — не постоянная вещь, я говорю это с полной уверенностью, потому что знаю преимущества веры против разрушения, производимого страхом. Главным направлением моей жизни была помощь людям в преодолении страха и создания веры. Множество мужчин и женщин со всего света приезжают в мои классы здоровья, потому что их так подстегивает страх, что они готовы покончить жизнь самоубийством.

И я видел этих же мужчин и женщин после применения программы создания нервной силы, изложенной в этой книге, изменивших свою жизнь и готовых преодолеть любые препятствия, стоящие у них на пути. Вы не сможете избавиться от стрессов и напряжения, если вы полны страха. Вы не сможете чувствовать себя здоровым и молодым, если не верить, и вера поможет вам преодолеть все душевные и физические болезни. Когда вы заполните резервуары нервной силой, ведя здоровый образ жизни, вы преодолеете все страхи.

ПРЕОДОЛЕНИЕ СТРАХОВ

Для преодоления страха нужна физическая, умственная и духовная энергия. Вы должны преодолеть свой страх сами, и поэтому с вами должна быть ваша мудрость. Интересно, что на страницах Ветхого и Нового заветов Библии можно найти источник духовной энергии для преодоления страха. Вот выдержка из псалма:

> Бог — это наше убежище,
> И наша сила, самая действенная помощь
> Во всех несчастьях.
> Поэтому у нас нет страха.
> Бог — мой свет и спасение.
> Кого же я буду бояться?
> Бог — сила моей жизни.
> Так кого же я испугаюсь?

Бог не даст нам чувства страха, а только энергию, любовь и здравый смысл.

Познакомьте с этими словами мужчин и женщин, которые борются с несчастьями и неудачами. Пусть они в своих созерцаниях повторяют их снова и снова, пока их вера не выжжет себе дорогу в их умах и не загорится их собственной верой.

Следуя программе естественной жизни, вы должны обратиться к высшей силе за помощью об освобождении от страхов и нервного напряжения. В ваших ежедневных созерцаниях вы можете встречаться с этой силой. Не хлебом единым жив человек.

Не бегите от страха, анализируйте и воспринимайте его не более чем физическое чувство. Не будьте обманутым физическим чувством. Есть восточная сказка о человеке, которого преследовали, как он считал, демоны. В панике он бежал день и ночь, пока в изнеможении, с дикими глазами не повернулся к своим мучителям. К его изумлению, ужасные демоны исчезли — это был только страх, созданный воображением.

Другой демон, которого вы должны прогнать, — это жалость к себе. Чувство жалости к себе — это совершенно ненужная трата энергии и еще верный путь уничтожить симпатию, исходящую от других, и помощь. Когда же настоящее горе придет к вам (а это будет), смотрите ему в лицо и знайте, что время все излечит.

Никогда не принимайте поражений. Помните, никогда не бывает слишком поздно дать себе еще один шанс.

И еще — не живите прошлым. Прошлое всем нам раздавало синяки, шишки и оборачивалось болью в сердце. Мы можем вынести из прошлого только хороший урок. Много неприятного случалось в прошлом. Но не все было плохим. Немало ярких счастливых дней было в прошлом у каждого, и именно это надо помнить. Но если даже ваше прошлое было очень счастливым, не пытайтесь жить постоянно в нем. Жизнь не пойдет назад.

Наша энергия зависит от нашей нервной силы, поэтому мы должны создать нервную энергию, которая даст возможность двигаться вперед к здоровью и счастью.

СОЗЕРЦАНИЕ — ПЕРВЫЙ ШАГ В СОЗДАНИИ КРЕПКОЙ НЕРВНОЙ СИСТЕМЫ

«Будьте спокойны и знайте, что я — бог...»

В полной тишине созерцания вы найдете силу, которая поможет вам, станет проводником и направит вас к цели жизни.

Очень важно заниматься созерцанием два раза в день — утром и вечером, когда мозг находится в полном спокойствии, чтобы собрать внутренние силы. В ваших мыслях должна быть четкая и ясная линия.

Помните, на смену старым, бесполезным и вредным мыслям должны прийти яркие новые идеи. Каждая конструктивная мысль наполняет нервную систему жизнью и силой, и эта мощная деятельность заполняет все тело. Путем созерцания вы создадите сильный ум и сильное тело. Вы создадите мощную нервную систему, потому что вы открыли неисчерпаемый резервуар энергии и творчества ума.

Созерцание помогает устанавливать равновесие ума и тела. Это порождает новую энергию, расширяет знания и в то же время устанавливает внутреннее спокойствие и мир. Вы увеличиваете силу для того, чтобы выдерживать напряжение жизни. Вы сможете решить любую проблему.

Простая техника созерцания

Созерцание — это ориентация. Это то, как вы определяете или ощущаете свое положение по отношению к окружающей среде или к какому-либо определенному лицу, вещи, области знаний, принципу. Другими словами, ориентация — это подготовка к путешествию. Это может быть путешествие между любыми заданными точками или к определенной цели. Вы можете решить для себя, что будете повиноваться законам природы в этом путешествии, и найдете здоровье, спокойствие ума и радость.

Каждый имеет способность к созерцанию. Для этого не надо собирать энергию, не требуется отходить от нормальной повседневной жизни. Необходимо затратить лишь несколько минут ежедневно без всяких изучений и приготовлений, чтобы получить результаты.

Созерцание совершенно свободно от гипноза и спиритизма. Оно дает вам возможность идти по жизни с большой уверенностью и ясностью. Оно сулит большие достижения в области мыслей и действий, физических и духовных способностей. Это увеличивает резерв нервных сил. Созерцание усилит ваше решение перейти к программе натуральной жизни. Во время утреннего созерцания вы сможете творчески спланировать свой день, а во время вечернего — проанализировать его, оценить достижения и ошибки и определить дальнейшую деятельность. Очень важно анализировать свои поступки. У вас появится намного больше внутреннего спокойствия. И люди, и вещи, которые вас беспокоили раньше, не будут больше действовать вам на нервы. Это принесет больше энергии для творческой деятельности.

В состоянии созерцания тело получает отдых более глубокий, чем при сне. Исследования показывают, что пульс, дыхание, процессы обмена снижаются до более низкого уровня, чем во время сна. За 30 минут созерцания каждый чувствует себя освеженным, как после долгого сна. После созерцания нервы расслабляются, и на вас уже не действуют в такой степени другие люди и их принципы. Степень вовлечения в эмоциональные стрессы уменьшится. Созерцание снимает напряжение естественным путем, обостряет ум и чувства, дает физический отдых, благотворно влияющий на здоровье. Созерцание приводит все системы организма в равновесие.

Вы то, о чем вы думаете

Если ваш ум сконцентрирован на мыслях о разъединении, то вы будете становиться образцом упадка. Это легко увидеть у других. Труднее — у себя. Выбросьте эти мысли из головы. Оглянитесь на прошлое, от которого вы получали удовольствие. Отбросьте жалость к себе и двигайтесь вперед с новой энергией.

Вы имеете чудо из чудес в своих руках. Это умственные способности, которые могут сделать вас кем захотите. Царство небесное внутри вас. Найдите это царство и вы достигнете блаженства. Вы найдете царство небесное на земле. Если вы хотите иметь больше силы, энергии, жизни, вы сможете все это получить, следуя законам природы.

Имейте в жизни конкретные планы. Активно смотрите в будущее. Вы можете изменить эти планы и взгляды, но они должны у вас быть. Ваши творческие планы должны быть нацелены в будущее, если вы хотите идти в одной упряжке с жизнью. При этом ваш современный ум становится более энергичным, а тело следует за вашими мыслями. Вы то, о чем вы думаете. Это происходит за счет вашего ума, его энергии. Дайте ему пищу для работы. Когда мозг ничего не делает, он размягчается. И для тела, и для ума требуется постоянная деятельность. Если мы не делаем этого, мы теряем их. Бездействие умственное или физическое притупляет человека. Выбросьте отрицательные мысли из ума и задайте ему больше работы. Не останавливайтесь в поисках внутренних сил и счастья.

Как только вы начнете следовать этой программе создания мощных нервных сил, вы почувствуете поток новой энергии, текущий через ваше совершенное тело. Работайте на себя каждый день. Помните, ваше тело бессловесно. Вы должны заставить его подчиниться мозгу.

ВОЛЯ К ПОБЕДЕ

Помните все время, что жизнь течет через ваши нервы. Чем лучше вы их будете питать, тем больше получите здоровья и сбалансированности, и у вас появятся реальные шансы достичь желанной цели.

Мы все хотим развить сильный ум в здоровом теле. У всех нас высокие стремления, великие цели. Вы, вероятно, слышали выражение «воля к победе» так часто, что оно стало уже штампом. Но остановитесь и попробуйте понять его смысл. Если вы собираетесь создать мощную нервную систему, вы должны будете иметь эту волю к победе. Это обязательно.

Нет лучшего места и времени для выработки воли к победе, чем во время периодов созерцания. Повторяйте еще и еще раз, что ничто и никто не сможет остановить вас в укреплении нервной системы. Во время утреннего созерцания каждый раз говорите себе, что вы не позволите никому истощать вашу эмоциональную энергию. Если кто-то попытается рассердить или изводить вас, ворчать на вас, то воля к победе будет удерживать вас от того, чтобы не подпасть под влияние этих людей. Не позволяйте никому выводить вас из эмоционального равновесия. Не всегда можно избежать общения с печальными, несчастными и нервными людьми, которые хотят, чтобы и другие находились в таком же положении. Укрепляйте свою нервную систему так, чтобы не подвергаться этим отрицательным влияниям.

Все, кто превратил свои мечты в реальность, — это люди, имеющие волю к победе. Мы говорили об уме человека, его эмоциях, его теле. Я могу сказать, что наиболее важной является наша воля, и воля, в конце концов, решает нашу судьбу.

ВАМ НУЖНО ВДОХНОВЕНИЕ

Большинство людей живут, бегая по кругу. Они расточают огромное количество ценной нервной энергии, ничего не получая взамен. Если вы собираетесь быть здоровым, сильным, уравновешенным человеком, вы должны иметь чувство направления. Вы должны знать, куда идете. И компасом, показывающим правильное направление, должно быть вдохновение.

Да, вы должны иметь вдохновение! Но что это такое? Даже люди, большей частью полагающиеся на вдохновение, не скажут вам ничего конкретного. Зато все мы пользуемся его результатами.

Хотя я и не могу описать или определить вдохновение, я могу показать, когда человек им охвачен. Это происходит, когда он видит себя не слабым, больным, неудачником с истощенными нервами, а тем, кем он хочет быть.

Когда вы начинаете верить, что вы можете стать таким, каким хотите,— вы вдохновлены. Когда вы больше не видите своих слабостей, но видите силу, тогда вы начинаете делать вещи, о которых даже и не мечтали.

Я хочу, чтобы в ваших повседневных созерцаниях вы совершенно забыли о ваших комплексах и нашли силу. Смотрите на себя как на человека, которым хотели бы быть. Рисуйте реальную картину в своем уме. Несите этот образ в своих созерцаниях и потом с собой – весь день. Живя по программе укрепления здоровья, вы работаете с Богом и природой, более сильными, чем вы сами. Живите с вдохновением – этой громадной силой в вашей великой вселенной.

Я думаю, что Библия говорит величайшую правду:

«Те, кто сопровождает Бога, будут обновлять свои силы, они будут подниматься вверх на орлиных крыльях, они будут бежать и не уставать, они будут идти и не слабеть».

Эти счастливые, здоровые, сильные духом люди, люди веры, имеют глубокую жизненную философию. Они видят, что их жизнь находится под властью большей, чем их собственная власть. Они верят, что это судьба направляет их жизнь. Ничто не может препятствовать им. С Богом и природой они совершают великие дела.

Поэтому я настаиваю, чтобы вы привнесли Бога и природу в ваши созерцания, в вашу программу укрепления нервной системы, в вашу работу, в ваши дела, в ваш дом.

В Боге и природе вы найдете энергию, которая поможет вам достичь высот уравновешенной жизни.

Вот две составные части, к которым я призываю в философии воли:

1. В ваших созерцаниях вы должны грезить о великих делах, и тогда через созерцание развивается воля, которая превращает эти мечты в реальность.

2. Найдите вдохновение в каких-либо великих целях, постарайтесь увидеть себя не тем, кто вы есть, а тем, кем вы можете стать.

Живите по этой программе укрепления нервов. Делайте то, что установлено вам Богом и природой, и всегда берите их с собой. Если вы будете созерцать дважды в день и укреплять свои внутренние силы, вы преодолеете все трудности.

СОН – ВТОРОЙ ШАГ В СОЗДАНИИ КРЕПКИХ НЕРВНЫХ СИЛ

Сон — один из величайших создателей крепких нервных сил. Если вы хотите, чтобы у вас был чудесный день, вы должны сначала иметь великолепную ночь. Если вы идете в постель с приятно уставшим телом, спокойным умом и пустым желудком, вы должны спать, как здоровый ребенок. Если вы поднимаетесь на рассвете, питаетесь натуральными продуктами, проводите энергичные упражнения на открытом воздухе, вы, несомненно, будете вознаграждены крепким, снимающим напряжение, освежающим сном.

У человека, который слишком устал и понервничал, 8—10 часов сна снимают напряжение. Качество, а не количество — вот что имеет значение для сна. Это наипервейшее требование, и если вы плохо спали, спросите себя почему.

ХОРОШИЙ СОН НАДО ЗАСЛУЖИТЬ

Невозможно выспаться, если постоянно стимулировать свою нервную систему табаком, кофе, чаем, алкоголем. Здоровая диета из натуральных продуктов и физические упражнения на свежем воздухе очень существенны. Здоровые дети днем физически активны и поэтому очень крепко спят. Как может взрослый человек, которому надо совладать со стрессами и трудностями современной жизни, крепко спать, когда он не получает нужного количества кислорода? Если вам нужен хороший ночной сон, вы должны «заработать» его. Нельзя сидеть весь день дома, жуя и работая, без деятельности на свежем воздухе. Не потворствуйте слабости тела или вялости духа, они стеной встанут между вами и вашим здоровым сном. Во время сна вы не только обновляете запасы нервной энергии, но и укрепляете свои нервы. Чтобы достичь гармонии, здоровья и счастья, вы должны осознать важную роль освежающего крепкого сна.

Сон должен быть глубоким и без сновидений. Если вас одолевают страхи, ужасные фантазии или проявляются старые тревоги — это нездоровый сон и это хуже, чем бессонница. Кошмары, несомненно, появляются от отравления крови. Если вы часто просыпаетесь, вы можете быть уверены, что ваше физическое равновесие нарушено.

Сон — это ритмическая часть жизни, и он должен быть глубоким и регулярным. После 8 часов такого сна вы просыпаетесь подобно отдохнувшему великану. Взгляните, улыбаясь, на себя. Но остерегайтесь, чтобы улыбка не превратилась в гримасу.

За идеально крепкий сон вы должны с радостью платить цену дисциплиной, здоровым образом жизни. Не ленитесь! Заставьте ваше тело приятно уставать, мозг — быть спокойным, и у вас будет такой сон, какого требует природа. Помните — важно не число часов, которые вы лежите в постели, а время, когда вы наслаждаетесь глубоким естественным сном.

Четыре часа первоклассного сна ценятся больше, чем восемь часов полудремы, и они делают больше для поддержания в вас молодости и нервной силы, чем любой другой фактор.

КАКИЕ СНЯТСЯ СНЫ?

Имея силу воли, вы должны есть то, что нужно, заниматься физическими тренировками, глубоко дышать, но силой воли вы не сможете заставить себя крепко заснуть. Деятельностью тела и мозга вы можете победить слабость, но это не принесет вам полного отдыха. Часто вы не можете заснуть, будучи слишком усталым или чересчур возбужденным. Заметим, что слишком много сна — это хуже, чем слишком мало. Вы можете сделать глупость, приняв наркотик, и тогда кровь начинает интенсивно поступать в мозг, и вы видите сны. В ярости набрасываются на вас фантазии, страх мстит вам, выныривая из подсознания. С ужасом вы погружаетесь в прошлое. Пробуждаются старые тревоги и опасения, еще раз вы испытываете горечь бедности или унижения. С возрастом сновидения становятся все более горькими! И с каким облегчением вы просыпаетесь! С помощью глубокого, освежающего, здорового сна вы можете избавиться от зловещих воспоминаний во сне.

КНИГИ У КРОВАТИ

Как же вести себя, чтобы сон был освежающим и крепким? День должен быть активным, но не слишком утомительным. Последнее принятие пищи — небольшая порция до сна. Ваш мозг несколько часов должен отдохнуть за чтением или веселым разговором.

Смотря по телевизору современные детективы, можно довести свои нервы до такой степени изнеможения, что вы проведете ужасную ночь в метаниях. Для вечерних развлечений хороши программы о путешествиях или на другие темы, не возбуждающие вас. Не смотрите ничего, что могло бы разволновать вас. Это яд для мозга, это не дает крепкого, освежающего сна.

Долгий вечер, проведенный в спокойной обстановке дома, — лучшая прелюдия к такому сну. Рядом с постелью у вас должна быть полка, заполненная книгами. Часто достаточно перевернуть несколько страниц одной из книг, и наступает момент, когда вы чувствуете, что надо осторожно выключить свет. Окно открыто, низкая подушка удобна. Вы делаете десять длинных, глубоких вдохов.

ВЕЧЕРНЯЯ МОЛИТВА

«Как счастлив я! Вся семья хорошо и крепко спит. Как спокойно и уютно. Что я сделал, чтобы заслужить такое счастье? Увы, слишком мало... День был прекрасен, я работал хорошо и от всего получил много удовольствия. Это потому, что я чувствовал себя хорошо. Завтра я тоже должен чувствовать себя хорошо. Я должен получать удовольствие. Завтра, как и сегодня, я должен быть нацелен на радость.

О, разве жизнь не прекрасна! Как я за это благодарен. Я, может, не заслуживаю всего, что имею, но я понимаю это. К источнику здоровья и счастья я обращаюсь с радостью и благодарностью...»

Вы с удовольствием закрываете глаза, и от глубокого покоя поднимаются первые струи сна. Ваши последние мысли погружаются в подсознание и остаются там. Пусть в них будет завтра ощущение счастья, мужества, доверия.

КАК ПЕРЕХИТРИТЬ БЕССОННИЦУ?

Если сон не приходит, вы можете вызвать его имитацией ритма дыхания. Спокойно лягте, совершенно расслабьтесь и с закрытыми глазами дышите, как дышат при глубоком сне. Закройте «двери» вашего мозга так же, как и глаза. Если это не помогает, попробуйте считать пульс до тысячи, отмечая сотни на пальцах. Это способствует засыпанию. Еще один способ. Ложитесь на живот, руки подложены под подушку, а лицо повернуто налево. Расслабление в этой позе часто очень эффективно, вероятно, потому, что это естественная поза, которую обычно применяют дети во сне, и ассоциации в подсознании создают расслабление.

Помните, что сон приходит, когда тело расслаблено. Когда вы лежите на постели, попытайтесь как бы опускаться вниз через матрац... Вниз, вниз через кровать... Вниз, вниз, через пол... Вниз, вниз так далеко, как только можно. Освобождение — вот секрет расслабленного глубокого сна.

Действительно, искусство мышечного расслабления должно быть употреблено в течение дня. Один хмурит брови, другой ходит с напряженным лицом, нервная женщина сжимает руки. Каждый, кто испытывает стресс или нервное напряжение, должен иметь определенные периоды абсолютного мускульного расслабления в течение дня. Если его работа связана с напряжением глаз, то необходимо расслабить именно эти мышцы, глядя на отдаленные предметы. Машинистка должна оставить свою машинку, чтобы убрать в конторе или сходить с каким-либо поручением. Какой бы ни была ваша работа, смените род занятий несколько раз в день и найдите моменты полного расслабления всех мускулов тела. Расслабьтесь, закройте глаза, думайте о чем-нибудь приятном и ободряющем.

РОСКОШЬ СИЕСТЫ

Самые высокоцивилизованные народы (европейцы) отдыхают в середине дня. Они едят ленч, затем ложатся и погружаются в глубокий, дающий расслабление сон. Этот здоровый обычай был и в США, но, к несчастью, в современной Америке стал роскошью. Отказ от полуденного сна — высокая цена, которую заплатили так называемому техническому прогрессу.

Я начал наслаждаться сиестой еще тогда, когда работал упорно весь день без перерыва. Это было для меня величайшей радостью по воскресеньям после полуденного ленча. Теперь мне это кажется символом свободы. После сиесты я чувствовал, что начал новый день.

Послеполуденный отдых даст вам два дня вместо одного. От 30 минут до часа нужно перезаряжать свои «батареи». Если бы я стал президентом США, мой первый лозунг был бы: «Два часа отдыха в середине дня — для каждого!»

Собственно говоря, ваш желудок требует для хорошего пищеварения паузы после еды. Небольшой паузы, но чтобы желудок в это время был в центре внимания. Не заставляйте сердце нести кровь к ногам, когда вы бегаете по стадиону, или к мозгу при чтении Эйнштейна. В течение небольшого времени дайте ему возможность питать только желудок. Не говорите, что должны бороться с дремотой и хотите быть энергичными в это время. Лучше скажите: «Ради моего желудка я лягу, закрыв глаза». Не сопротивляйтесь этому импульсу, не соревнуйтесь по занятости с пчелой. Будьте достаточно сильным, чтобы отложить все дела и отдохнуть днем.

ХОРОШИЙ СОН

Снотворное — это дурная привычка, которая приводит к полному нервному расстройству. Эти лекарства могут привести к наркомании, так как дозу приходится все время увеличивать. Пилюли способны убивать, и они убивают. Бессонницу могут вызвать табак, кофе, чай и кола, так же как и обильная еда поздно вечером.

Вы должны спать на твердой постели. Это поможет сделать мышцы эластичными. Моя кровать деревянная с тонким поролоновым матрацем. Всего несколько ночей — и вы не замечаете жесткой постели. Но каким восхитительным становится сон, когда мускулы и кости тела держатся надежно на месте. Ширина постели должна быть, по крайней мере, 90 сантиметров. Если вы спите вдвоем, ваша кровать должна быть не уже 180 сантиметров. Я считаю, что сон — наиболее важная часть создания крепкой нервной силы, и придерживаюсь твердых правил в этом отношении. У меня должна быть отдельная кровать. По-моему, спать вдвоем в одной кровати примитивно и негигиенично. Хорошо спать — значит спать одному.

Мы проводим треть жизни в постели. Поэтому не пожалейте денег на самую лучшую кровать и постель, какие только можете купить. Помните, что эта цена определяется не суммой, которую вы за них заплатили, а количеством сна, которое это вам дает. Наденьте удобную ночную одежду или вообще ничего не надевайте. Восхитительная свобода и свежесть — спать обнаженным, особенно летом. В любой сезон одежда для сна должна быть свободна и легка.

Ночь крепкого, расслабляющего, освежающего, восстанавливающего силы сна — ваше самое прекрасное страхование здоровья. Добивайтесь хорошего сна. Работайте, чтобы добиться победы. Заставьте сон наполнять тело крепкой нервной силой. Сон — один из ваших лучших друзей, добрых и излечивающих.

НАТУРАЛЬНАЯ ПИЩА — ТРЕТИЙ ШАГ В СОЗДАНИИ МОЩНОЙ НЕРВНОЙ СИЛЫ

Для счастливой жизни нужен спокойный ум, инструментом которого является мозг — часть организма. Невозможно иметь спокойный ум, если мозг испытывает недостаток питания.

Большинство умов в наше, казалось бы, цивилизованное время — больно. Никогда раньше в нашей истории не было так много умственно отсталых детей и людей, страдающих психическими расстройствами. Путешественник из космоса, взглянув на Землю, сказал бы: «В какую грязь вы превратили свою прекрасную планету!»

Вы знаете проклятые вопросы нашей планеты: войны, преступления, миллионы голодающих, ненависть, которые заставляют выступать одну нацию против другой. Мы живем в нервном, задыхающемся мире. И он становится с каждым часом все более больным. Многие миллионы молодых людей смотрят на этот ужас и бросаются к наркотикам, чтобы отрешиться от реальности.

Конечно, никто не может жить, не испытывая стресса, и для того, чтобы противостоять, мы должны создать крепкую нервную силу. Наша центральная нервная система во главе с мозгом должна быть сильной и здоровой, и для этого она нуждается в определенной пище. Наиболее важным компонентом, необходимым для здоровья центральной нервной системы, является комплекс витамина В. Но в нашей современной «мертвой» пище отсутствует этот ингредиент. Современная диета страдает от отсутствия этого витамина, и поэтому страдает ваше тело. Неудивительно, что мир болен.

МЫ ТО, ЧТО МЫ ЕДИМ

Из всех причин, которые ведут к нервному истощению, вероятно, основную роль играет неправильная диета. Прежде чем тело ответит вам здоровьем и большой нервной силой, надо изменить обычное меню. Для того чтобы избавиться от стресса и нервного напряжения, угрожающих вашей жизни, необходимо есть только натуральные продукты, которые дают телу важные питательные вещества, необходимые для создания сильного ума и сильного тела.

Центральная нервная система создается и поддерживается пищей, которую вы едите. Но как же можно ее создать и поддерживать с помощью бутербродов с горячими сосисками, запивая кофе, содержащим кофеин? Как может жаренная на жиру картошка дать нервам необходимые ценные вещества?

Мы лишаем нашу ежедневную пищу витаминов и минеральных веществ, следовательно, мы ослабляем центральную нервную систему. Мы окружены лавиной вредных и ядовитых химикатов. Наша пища опрыскана ДДТ и другими ядами, убивающими насекомых. В продуктах сотни добавок и химикатов, которые могут продлить их жизнь на полках, но зато укорачивают жизнь человека.

НЕДОСТАТОК КОМПЛЕКСА ВИТАМИНА В

Ужасна цена, которую мы платим за отсутствие комплекса витамина В в нашей цивилизованной пище. Это нервозность, чрезвычайная хроническая усталость, приводящие иногда к самоубийству.

По моему мнению, интенсивное употребление табака, алкоголя, кофе, чая, наркотиков имеет прямое отношение к недостатку комплекса витамина В. Я внимательно изучал обычную диету людей, которые используют перечисленные выше мощные стимуляторы, и нашел в каждом случае, что эти люди страдают от недостатка витамина В.

Огромное количество людей, занимающихся своей повседневной работой, находится на грани истощения жизненной энергии. Если обратить внимание на то, что они едят, мы увидим, что они совершенно не употребляют пищи, помогающей созданию нервной энергии. Как обычно, при недостатке каких-либо веществ тело сигнализирует о своих нуждах. Люди пытаются удовлетворить их большей частью не тем, что нужно, а продуктами, содержащими белый очищенный сахар — леденцами, тортами, кексами, мороженым, пирогами, жевательной резинкой и засахаренными фруктами. Они могут дать временный подъем, но это искусственная энергия, которую тело очень быстро растрачивает, после чего образуется даже больший дефицит, чем прежде. Как бы вы ни хотели сладкого, пожалейте свои нервы и употребляйте вместо сахара пищу, богатую витамином В.

Недостаток этого витамина трудно определить. Действительно, о чем беспокоиться? Повторяющиеся время от времени головные боли, периодические простуды, расстройства желудка, запоры, от которых избавляются с помощью сильных слабительных средств... Спросите человека с такими жалобами, как он себя чувствует сегодня. Обычно он отвечает, не задумываясь: «Великолепно»! Он так давно нездоров, что научился жить, не думая о своей болезни.

Как мало людей знают действительно, что такое — великолепно себя чувствовать! Они весело шагают по жизни, пока какое-нибудь злоупотребление не приведет их к полному нервному расстройству.

Мы становимся нацией физически сломленных людей, страдающих от нервного истощения. Люди накупают тонны «пилюль бодрости», чтобы поддержать себя в течение дня, и оглушают свои нервы и тело табаком, алкоголем, чаем, кофе и продуктами, содержащими очищенный белый сахар.

ПИЩА, КОТОРУЮ НУЖНО ИЗБЕГАТЬ

Чтобы создать мощную нервную силу, не пользуйтесь мертвой пищей и напитками. Вот список продуктов, которых надо избегать.

Рафинированный сахар и продукты, которые его содержат,— такие как джем, желе, мармелад, мороженое, шербет, пирожные, кексы, торты, жевательная резинка, лимонад, пироги, печенье, фруктовые соки с сахаром, засахаренные фрукты, компоты.

Приправы — кетчуп, горчица, мясные и рыбные соусы, маринады и др.

Соль и соленые продукты, соленые орешки, соленые хлебцы и печенье, кислая капуста. Взгляните на этикетки приготовленных продуктов, и если в них добавлена соль, то они не для вас.

Очищенный белый рис и перловая крупа.

Сухие злаки — такие, например, как кукурузные хлопья. Они полностью очищены, то есть лишены жизненной силы, и почти всегда в них присутствуют соль и сахар.

Насыщенные жирами продукты — враги нашего сердца. Если на этикетке написано «Растительное масло», узнайте вначале, не гидрогенизировано ли оно.

Хлопковое масло как составная часть любых продуктов.

Маргарин гидрогенизированный.

Масло арахиса, которое содержит гидрогенизированные масла.

Кофе — включая кофе, очищенный от кофеина. Это один из злейших врагов наших нервов. Это стимулятор. Не пейте даже слабый кофе. Не подстегивайте свои нервы кофеином.

Чай — содержит кофеин, теин, танин. Все они мощные стимуляторы нервной системы.

Алкогольные напитки — смертельный яд для нервной системы. Когда вы хотите выпить, это означает, что вашим нервам не хватает комплекса витамина В, кальция и других питательных веществ. Не поддавайтесь настойчивым уговорам. Скажите человеку, который предлагает вам спиртное, что у вас аллергия к алкоголю.

Копченая рыба и подобные продукты.

Табак — в любом виде — смертельный яд для нервов. И сигары, и сигареты, и просто табак нюхательный и курительный. Табак — яд из семейства белладонны. Не позволяйте ему убивать вас.

Свежая свинина и продукты из нее.

Копченое мясо — ветчина, бекон, колбасы.

Закусочное мясо — к нему относятся сосиски, солонина, продукты, содержащие нитраты или азотистый натрий. Читайте этикетки. Не ешьте вяленое или сушеное мясо, если в него для сохранности добавлены химикаты.

Сушеные фрукты, которые содержат сильные химические вещества.

Цыплята, которые продаются в магазине. Обычно их кормят пищей, содержащей сильные лекарства.

Консервированные супы — читайте этикетки. Избегайте продуктов, содержащих соль, сахар, консерванты, крахмал, белую или пшеничную муку.

Рафинированная белая мука и все ее продукты. В ней полностью отсутствует комплекс витамина В, а также витамин Е. Не ешьте ржаной хлеб, к которому добавлена пшеничная или белая мука.

ПЕКИТЕ СВОЙ СОБСТВЕННЫЙ «ЖИВОЙ» ХЛЕБ

Хлеб называют основой жизни, но я содрогаюсь при мысли, что придется есть каждый день хлеб, выпекаемый в наших булочных. Лучший способ быть уверенным, что в каравае имеются витамины, кальций и другие питательные вещества, необходимые для основы жизни,— это печь свой собственный хлеб:

0,5 л воды (дистиллированной, если вода в вашем доме химически обработанная);

1 столовая ложка натурального меда или 100 г неочищенного сахара или чистой патоки;

1 плитка дрожжей или 1 чайная ложка сухих дрожжей;

1,2 кг неотбеленной и непросеянной пшеничной муки; 250 г неочищенных проросших пшеничных зерен.

Растворить мед в 0,5 л воды. Размешать до растворения в воде дрожжи. Добавить муку, неочищенные пшеничные зерна. Хорошо вымесить тесто, сделать один большой или два маленьких каравая.

Поместите караваи в печь с температурой 100°, приоткрыв дверцу. Дайте тесту подняться в два раза. Затем очень осторожно закройте дверцу печи и установите терморегулятор на 350°. Печь около 50 минут. Когда сформируется корочка и каравай будет отставать от противня — хлеб готов.

Снимите караваи с противня, смажьте слегка каким-либо маслом, чтобы корочка оставалась мягкой, и остудите.

Непросеянную пшеничную муку можно заменить овсяной, ячменной или ржаной мукой мелкого помола.

Колотые орехи, финики, смородина, изюм, чернослив, инжир могут быть добавлены в тесто для получения различных вариантов.

Эксперименты с выпечкой хлеба дадут вам много удовольствия. Всегда держите ваш хлеб в холодильнике, так как его очень любят домашние насекомые.

Этот хлеб богат витаминами В и Е. Вы будете вознаграждены крепкими нервами за все попытки создать натуральную и целебную основу жизни.

Не пытайтесь оправдываться, что у вас нет времени, чтобы печь натуральный хлеб. Сегодня мы все заняты. Но здоровье должно быть прежде всего. Если вы собираетесь есть натуральную здоровую пищу, вы найдете время и силы, чтобы испечь такой хлеб. Когда люди дают неубедительные объяснения, что слишком заняты, чтобы печь настоящий хлеб и есть натуральную пищу, это означает, что они действительно слишком истощены и утомлены, чтобы делать какие-либо попытки.

ПИЩА, БОГАТАЯ КОМПЛЕКСОМ ВИТАМИНА В

Вы должны употреблять пищу, богатую комплексом витамина В. Вот основные ее виды:

Пивные дрожжи. Существует множество путей для использования этого ценного продукта. Мы с дочерью Патрицией больше всего любим дрожжевой напиток, который является пищей сам по себе. Вот его рецепт:

Смесь Брэгга, богатая витамином В

3 чашки несладкого фруктового сока (апельсин, грейпфрут, ананас и томаты);

1 столовая ложка дрожжей;

1 столовая ложка свежих проросших пшеничных зерен, мед по вкусу;

1 столовая ложка неполированного риса;

1 яичный желток (по желанию).

Натуральное несоленое ореховое масло — замечательный источник комплекса витамина В. Можно есть как сырые, так и свежеобжаренные орехи.

Цельные зерна, например ячменя.

Непросеянная мука, например гречиха, кукуруза.

Сырые и сухие бобовые — такие, как соя, свежий и сухой горох, зеленые бобы.

Сырые пшеничные зерна.

Неполированный рис.

Зеленые овощи — молодая ботва репы, зелень горчицы, шпинат, капуста.

Фрукты — такие, как апельсины, грейпфруты, дыни, авокадо, бананы.

Грибы.

Черная натуральная патока.

Молоко и животные продукты, включая пахтанье, сырковую массу, проверенное сырое молоко, сливки, свежее снятое или цельное молоко, порошковое молоко, говядину, говяжью печень, сердце, мозги, свежеприготовленный постный шницель, бараньи почки, цыплят, раков, устриц, крабов.

Как видите, существует достаточно и растительных, и животных продуктов, богатых комплексом витамина В. И вегетарианцы, и применяющие смешанную диету имеют богатый выбор. Для создания мощной нервной силы составьте так свой ежедневный рацион, чтобы в его продуктах обязательно присутствовал комплекс витамина В.

ПРОСТОЕ МЕНЮ
ДЛЯ ВЕГЕТАРИАНСКОЙ ДИЕТЫ

Завтрак

Большое блюдо свежих или тушеных фруктов, содержащих комплекс витамина В, с достаточным количеством проросших пшеничных зерен и меда.
Молоко (по желанию)
или
Соевое или миндальное молоко (смесь холодной воды с миндалем и медом во вкусе).
Два ломтика подсушенного хлеба из цельного зерна с ореховым маслом.

Ленч

Капустный салат.
Миска овощного супа с большим количеством цельного ячменя.
Печеные бананы.

Обед

Салат из сырых овощей (сырковая масса необязательна).
Жареные грибы с ломтиком хлеба из цельного зерна.
Блюдо тушеной фасоли.
Печеные яблоки с пророщенными пшеничными зернами.

ПРОСТОЕ МЕНЮ
ДЛЯ СМЕШАННОЙ ДИЕТЫ

Завтрак

Целый грейпфрут.
Два яйца.
или
Сухофрукты с пророщенными зернами злаковых и медом.
Два тонких ломтика подсушенного хлеба из цельного зерна.

Ленч

Сырой овощной салат с сырковой массой.
Жареный или печеный цыпленок.
Зелень горчицы.
Нарезанный ломтиками апельсин.

Обед

Капустный салат.
Печень с луком.
Блюдо свежего гороха.
Зерновой хлеб.
Драчена, подслащенная медом.

ВАШИ НЕРВЫ НУЖДАЮТСЯ В БОЛЬШОМ КОЛИЧЕСТВЕ КАЛЬЦИЯ

Мы обычно испытываем недостаток в кальции более, чем в каком-либо другом минеральном веществе, необходимом для создания здоровья и нервной силы.

Кальций в правильных пропорциях дает нам крепкие зубы, сильные кости, стальные нервы, упругие мускулы, эластичную кожу, четкое сердцебиение, прямую осанку, острый ум и здоровые внутренние органы. Если уровень кальция в крови падает, вы можете стать нервным, раздражительным и впасть в депрессию. Кальций помогает контролировать ваше здоровье и создавать личность.

Кальций совершенно необходим для функционирования нервов. Это минеральное вещество помогает передавать импульсы через нервы от одной части тела к другой. Без кальция вы не могли бы отдернуть руку от горячей плиты, дать дорогу автомобилю или даже почувствовать пищу, которую едите. Недостаток кальция может привести к судорогам и конвульсиям, сердечной недостаточности и медленному пульсу. Кальций также помогает установить кислотно-щелочной баланс в теле. Недостаток кальция выражается в остановке роста, разрушении зубов, хрупкости костей. Более трудно определить его нехватку, когда образуются изменения в мягких тканях.

Только один процент кальция находится в мягких тканях, но если, предположим, этого одного процента не будет в наличии, то человек превратится в чрезвычайно нервное существо. Без достаточного количества кальция в крови нервы не могут посылать сигналы. Результат — стрессы и напряжение. Тело не может расслабиться. Это заметно у сильно эмоциональных детей. Это проявляется у взрослых в неприятном характере, раздражительной ругани и быстрой смене настроений. В дальнейшем развиваются судороги в мышцах, спазмы и даже конвульсии.

И взрослые, и дети, у которых обнаруживают недостаток кальция, имеют «нервные» привычки грызть ногти, безостановочно двигать руками и ногами, жевать резинку, ковырять в носу или в ушах и чесать постоянно голову. Они не могут сидеть спокойно длительное время и часто бессознательно стучат рукой или пальцами (особенно взрослые).

Люди, у которых не хватает кальция, обычно очень раздражительны и часто доходят до эмоциональных вспышек. Они даже могут беспричинно плакать и склонны жалеть себя. Им все действует на нервы, выводит из себя. Их тревожит даже слабый шум.

Замечено, что недостаток кальция — основная причина, способствующая неблагоприятным изменениям в личности из-за низкой нервной силы. К счастью, противоположное также верно. Во время моих долгих экспериментов в области естественной жизни я видел, как самые раздражительные, нервные люди становились счастливыми, дружелюбно настроенными, уверенными в себе благодаря изменению их образа жизни и следованию здоровым законам природы. Этим путем можно добиться значительных улучшений в вашей жизни и вашей личности. Помните: прежде всего вы живете сами с собой. Я знаю, вы не хотели бы жить с несчастным, раздражительным и беспокойным человеком. Вы рождаетесь быть счастливым и хотите прекрасно себя чувствовать все время. И долг каждого сделать это для себя. Вам необходимо каждый день получать в рационе кальций.

ПИЩА, БОГАТАЯ КАЛЬЦИЕМ

Миндаль очищенный.

Бобовые — сваренные соевые бобы, зеленые бобовые.

Свекла.

Сыры — козий, овечий, любой натуральный, полученный естественным путем, старый сыр.

Зелень овощей — свекольная ботва, зелень одуванчика, салат-латук, кресс-салат, зелень горчицы и др.

Молоко — козье сырое, сухое.

Цельная зерновая мука.

Костяная мука.

Теперь легко можно подобрать продукты, богатые кальцием и витаминами В, необходимые в создании мощной нервной силы. Большое количество кальция и витаминов обеспечит вам спокойствие нервной системы.

КАК ЖИТЬ НА ДИЕТЕ
ИЗ НАТУРАЛЬНЫХ ПРОДУКТОВ?

Совсем несложно жить по законам природы. И вы достигаете чувства свободы, здоровья и счастья. Есть несколько простых правил, как жить на диете, включающей в себя натуральные продукты. Используйте всю вашу изобретательность и воображение при создании интересных меню и рецептов.

ОСНОВНЫЕ ПРАВИЛА

1. 60% вашей естественной диеты должны составлять фрукты и овощи, сырые или слегка отваренные. Ешьте больше сырых фруктовых и овощных салатов, сырых или тушеных фруктов во время завтрака или десерта. При приготовлении овощей и фруктов используйте как можно меньше воды и не разваривайте их. Я обычно готовлю овощи в глиняном горшке с небольшим количеством воды. Картофель печется в мундире в духовке при 550° в течение 25 минут. Он получается с очень вкусной хрустящей корочкой. Я не пользуюсь замороженными и консервированными овощами, если не делаю их сам. Только в этом случае я уверен, что в них нет никаких химических веществ.

2. 20% вашей диеты должны составлять протеины. Не ешьте мясо более трех раз в неделю. Оно содержит мочевую

кислоту и большую концентрацию тяжелых насыщенных жиров. Яйца также не надо есть более трех раз в неделю. Замечательным источником протеинов являются соевые бобы, чечевица и другие бобовые, коричневый рис, орехи всех видов (сырые или жареные без соли), свежая рыба, хороший натуральный сыр, семечки (подсолнуха, тыквы, кунжута), пивные дрожжи.

3. Остальные 20% вашей натуральной диеты состоят из трех частей: натуральное масло (оливковое, соевое, орехо-вое, подсолнечное, кукурузное);

натуральные сласти — такие, как мед, кленовый сироп, патока, сухофрукты (высушенные на солнце без консер-вантов);

натуральный крахмал, который входит во все натураль-ные цельные зерна.

Чтобы избежать переедания, ешьте простую пищу и помни-те, что естественная диета не содержит соли. В нашем доме любимой приправой является толченая бурая водоросль.

Таким образом, вы должны:

1. Избегать непитательной еды.

2. Есть только натуральную пищу. Вы быстро к ней при-выкнете, и усилия ваши будут вознаграждены.

УПРАЖНЕНИЯ — ЧЕТВЕРТЫЙ ШАГ В СОЗДАНИИ МОЩНОЙ НЕРВНОЙ СИЛЫ

Ничего нет лучше для создания мощной нервной силы, чем пройти быстрым шагом 2—5 миль. Вы слишком стары и вялы? Я прадедушка, но я быстро хожу, прыгаю, бегаю, пла-ваю, езжу на велосипеде, лазаю по горам, играю в теннис и занимаюсь другими видами спорта. Возраст — не помеха для спорта. Конечно, я не ожидаю, что вы сразу же нырнете в воду, станете атлетом сегодня к вечеру. Делайте это посте-пенно. Пройдите вначале одну милю. И так каждый день в течение недели. Затем увеличивайте расстояние до двух миль. Поскольку вы натренируете свои мышцы, заставите кровь бежать быстрее по телу, дыхание углубится и напол-нит ваши легкие кислородом, то вы почувствуете новую силу и жизнеспособность во всем теле. У вас появится хоро-ший аппетит, и вы будете спать, как ребенок. Резервуары вашей нервной силы наполнятся энергией, и вы почувствуете новый интерес к жизни.

Чем больше вы потратите времени на физическую активность на свежем воздухе, тем мощнее будут резервы нервной силы, вы будете более уравновешены и избавитесь от стрессов. Особенно это заметно у детей. Неактивные дети, отказывающиеся от игр и спорта, обычно бывают эмоционально неустойчивыми. У активных детей, любящих подвижные игры и спорт, обычно крепче нервная система, так как у них не остается времени и энергии на переживания.

Ваш возраст не имеет значения. Упражнения будут работать на вас. Если вы хотите быть более уравновешенным человеком, свободным от стрессов и напряжений, постарайтесь, чтобы занятия физкультурой на открытом воздухе стали частью вашей жизни.

ПРИ ЭМОЦИОНАЛЬНОМ НАПРЯЖЕНИИ НАДО ГУЛЯТЬ

Несколько лет назад я понял, что могу снять эмоциональное напряжение прогулкой. Я могу решить любую проблему, которая стоит передо мной, пройдя быстрым шагом от 2 до 5 миль. Когда кислород активно питает мозг, каждый начинает думать яснее.

Во время великого финансового кризиса 30-х годов богатый друг пришел ко мне и сказал, что он совершенно разорен и хочет покончить жизнь самоубийством. Я попросил его пойти со мной на прогулку и поговорить перед смертью. Мы ходили быстрым шагом более 5 часов. В течение этого времени я доказал ему, что деньги — не единственная ценность в жизни, и заставил отказаться от своего намерения. Долгая прогулка на свежем воздухе изменила всю его жизнь. Он живет и сегодня. И хотя он не богат материально, он богат внутренне.

Когда у вас мрачное настроение, вас одолевают беспокойство и депрессия, идите скорее на свежий воздух и займитесь физическими упражнениями, иначе отрицательные эмоции задавят вас. Прогулки или занятия физкультурой прояснят ваши мысли и помогут увидеть ваши проблемы в перспективе. Любая форма деятельности на свежем воздухе создает личность.

КАКИЕ УПРАЖНЕНИЯ
МОЖНО ДЕЛАТЬ ВАМ?

Древние индийцы, хотевшие стать наравне с богами, верили, что для этого необходимо, чтобы тело и кровь были сильными и чистыми. Они развивали систему физической культуры, названную йогой. В основу ее было положено убеждение, что человеческое тело надо упражнять и упражнять правильно, чтобы оно было здоровым.

Я верю, что упражнения могут создать новую расу мужчин и женщин. Люди могут стать сильнее для того, чтобы выполнять повседневную работу и еще иметь достаточно энергии вечером для занятий и хобби. Они могут находиться в расцвете сил на 20—40 лет дольше, чем люди, которые ленивы и не занимаются физкультурой. Регулярно упражняясь, человек может долго оставаться физически молодым.

Упражнения могут дать женщине все: она будет прелестна, спокойна, вечно молода и, самое главное, чрезвычайно женственна.

Безразлично, сколько вам лет, вы сегодня можете повернуть ваши биологические часы вспять, начав выполнять программу регулярных упражнений. Вот чего вы достигнете, постоянно занимаясь упражнениями:

1. У вас улучшится циркуляция кислорода. Вы будете чувствовать себя более энергичным.

2. Упражнения избавят вас от стрессов, а также напряжений, которые локализуются в сжатых, напряженных частях тела, особенно в области шеи, спины и позвоночника. Упражнения растянут эти части тела и сделают их более гибкими. Вы будете чувствовать расслабление и легкость.

3. Преодоление хронической усталости — главное преимущество. Тот чувствует себя все время усталым, у кого недостаточна циркуляция в мозгу. Упражнения улучшают кровообращение жизненных центров, увеличивая энергию и жизнеспособность.

4. Упражнения помогают успокоить нервы. Они также способствуют хорошему ночному сну, который является основным фактором в поддержании спокойствия и безмятежности.

5. Упражнения увеличивают эмоциональный контроль, помогают укрепить нервы и достичь уравновешенности, что приходит от здоровой нервной системы и здорового ума.

Чтобы добиться этого, вы должны регулярно выполнять программу упражнений. Моя книга «Золотые ключи внутреннего физического здоровья» даст вам эту систему упражнений.

Возраст не является препятствием к ежедневным упражнениям. Мой друг Рой Д. Уайт, которому 107 лет, ходит по 5—10 миль каждый день. Никто не может быть слишком старым для упражнений. Отдыхать — значит ржаветь. Ходите быстрым шагом на свежем воздухе — и вы узнаете, как много можно почувствовать. Если вы не используете свое тело — вы теряете его.

ПРАВИЛЬНОЕ ДЫХАНИЕ — ПЯТЫЙ ШАГ В СОЗДАНИИ НЕРВНОЙ СИЛЫ

Люди с кислородным голоданием бывают обычно нервными. Как уже говорилось выше, деятельность жизненных органов зависит непосредственно от нервной стимуляции, которую они получают от нервной системы. Поэтому нервное истощение ослабляет деятельность желудка, почек, печени, кишечника и других брюшных органов, причиняя страдания и различные болезни.

Сердце и легкие особенно страдают от нервного истощения. Мы все наблюдали, что даже самое слабое волнение увеличивает частоту дыхания и сердечных сокращений. Страх и беспокойство угнетают деятельность сердца и легких, и воздействие это может быть очень серьезным. Сердце и легкие можно назвать «хозяевами» организма, и жизнь зависит от них больше, чем от других органов. Когда сердце перестает биться, смерть наступает через несколько минут. И сердце остановится, когда не будет доступа кислорода.

Кровь — поток жизни, и она должна быть чистой. Долг легких и сердца сделать это. С каждым вдохом дающий жизнь кислород проникает в кровь, а смертельно ядовитый углекислый газ выводится. Поэтому мы должны дышать глубоко и правильно. Есть два основных метода дыхания: грудное и диафрагмальное.

ГРУДНОЕ ДЫХАНИЕ

Грудное дыхание — результат движения реберной части груди, особенно ее верхнего отдела. При вдохе грудная клетка расширяется (становится больше), а во время выдоха сжимается (становится меньше). Эта форма дыхания, особенно на границе вдоха и выдоха, – самая замечательная форма внутреннего упражнения для развития грудной клетки, что очень полезно со всех сторон.

Грудное дыхание обычно используется телом только при сильных воздействиях на него. Это может быть названо силовым дыханием. Оно подобно усиленному глотку.

ДИАФРАГМАЛЬНОЕ ДЫХАНИЕ

Диафрагмальное дыхание, которое иногда называют еще брюшным дыханием, отличается по действию от грудного тем, что при вдохе живот увеличивается (становится больше), а во время выдоха – сжимается (становится меньше).

Нужно понять, что воздух не входит в брюшную полость при дыхании. Когда широкая мышца, отделяющая сердце и легкие от брюшных органов, – диафрагма – сокращается, двигаясь вниз, воздух всасывается в легкие (вдох). Когда диафрагма поднимается – воздух выходит из легких (выдох).

Попеременное поднимание и опускание этой мышцы создает соответствующее движение брюшных органов и изменяет давление внутри брюшной полости.

Диафрагмальное дыхание – спокойное дыхание и может быть определено как нормальное. Так мы обычно дышим в детстве. Очень мало людей дышит диафрагмальным методом, большинство пользуется грудным дыханием. Это происходит потому, что, взрослея, человек начинает носить стесняющую его одежду, постоянное положение сидя также затрудняет движение диафрагмы. Появляется привычка к грудному дыханию, как к более простому. Годы практики так укореняют эту привычку, что для многих пациентов требуются большие усилия, чтобы исправить ее.

ПРЕИМУЩЕСТВА
ДИАФРАГМАЛЬНОГО ДЫХАНИЯ

Диафрагмальное дыхание имеет большие преимущества по сравнению с грудным. Оно обеспечивает:

1. Большее насыщение крови кислородом, так как воздух проходит в верхние и нижние части легких.

2. Стимуляцию циркуляции крови в брюшной полости благодаря изменению давления в ней, создаваемого диафрагмой.

3. Стимуляцию перистальтики, которая обеспечивает хорошее пищеварение и выведение токсических веществ. Я знаю сотни случаев, в которых переход от грудного дыхания к диафрагмальному помог устранить длительные хронические заболевания легких, сердца, печени и др.

4. Замечательное успокаивающее действие на нервы и особенно на солнечное сплетение. Диафрагмальное дыхание уничтожает паралич нервной системы, так часто наблюдаемый у людей с повышенной чувствительностью нервной системы. Тесная связь между пневмо-гастрической системой, дыханием и внутренними органами прослеживается при рождении ребенка. Органы неродившегося ребенка практически еще не работают. Если бы в желудок попала пища, она не переварилась бы. Но с первым вдохом, «вдохом жизни», машина жизни приходит в движение. Этот вдох означает пробуждение пневмо-гастрических нервов и особенно солнечного сплетения.

КАК УЧИТЬСЯ ДИАФРАГМАЛЬНОМУ ДЫХАНИЮ

Начинать заниматься диафрагмальным дыханием надо лежа — это наиболее удобное положение. После достаточной практики в течение нескольких недель лежа необходимо продолжить тренировки сидя или стоя. Продолжать тренировки надо до тех пор, пока не будет полного контроля за дыханием и оно не станет привычкой.

Диафрагмальное дыхание необходимо для нормализации деятельности сердца. Сильные сердцебиения, перебои в работе сердца и другие отклонения сердечной деятельности — общее явление для людей с расстроенными нервами. Диафрагмальное дыхание помогает во многих случаях избавиться от большинства сердечных заболеваний.

ДЛИННОЕ ЗАМЕДЛЕННОЕ ДИАФРАГМАЛЬНОЕ ДЫХАНИЕ КОНТРОЛИРУЕТ РАССТРОЕННЫЕ НЕРВЫ

Есть определенный способ привести нервную систему в норму после различных семейных неурядиц, при различных финансовых проблемах и болезнях. Идите сразу в спокойное место, пусть это даже будет туалет. Спокойно сядьте. Посчитайте пульс. Он и ваше дыхание учащены. Теперь начинайте полное замедленное диафрагмальное дыхание. Посчитайте, сколько длинных медленных вдохов вы можете сделать в минуту. После нескольких минут вы заметите, что ваш пульс стал реже. Ваши нервы успокоились. Вы переходите от эмоций к логическим размышлениям. Вы становитесь хозяином положения. Медленное глубокое диафрагмальное дыхание — замечательный метод для успокоения и предотвращения эмоционального шока.

ДИАФРАГМАЛЬНОЕ ДЫХАНИЕ — ИСТОЧНИК ДОЛГОЙ ЖИЗНИ

Животные, которые дышат быстро,— мало живут. У долгожителей медленное дыхание. Этот секрет я узнал от жителя Индии, которому было 130 лет, но выглядел он семидесятилетним. У него было острое зрение, хорошее расположение духа и острый ум. Он вдыхал один раз в минуту. Он блаженствовал.

ВОДНЫЕ ПРОЦЕДУРЫ — ШЕСТОЙ ШАГ В СОЗДАНИИ МОЩНОЙ НЕРВНОЙ СИЛЫ

«Чистота — это следование благочестию». Чтобы создать мощную нервную силу, наше тело должно быть чистым не только внутри, но и снаружи. Наша программа культуры еды, чистоты, натуральной пищи, дыхательных упражнений — все это необходимо для избавления тела от токсинов, которые оно постоянно выделяет через поры кожи.

Кожа — самый большой орган человеческого тела и один из наиболее важных органов выделения. У нас 96 миллионов пор кожи, и поэтому ее надо держать в чистоте. Водные процедуры важны не только для очищения пор, но и для создания крепкой нервной силы. Яды выходят через поры кожи в виде влаги, которая высыхает на ней и должна быть смыта. Вот почему так важно ежедневно мыться.

Я лично думаю, что душ — самый лучший способ очищения кожи. Я люблю душ с хорошим напором. Очень важен выбор мыла. Я никогда не пользуюсь обычным хозяйственным мылом, а только чистым туалетным мылом на кислой основе. Очень важно не пользоваться мылом со щелочными добавками, так как здоровая кожа имеет кислую основу, и в этом случае эта кислая основа разрушается. Кожа становится сухой и часто раздражается. От этого вы теряете нервную силу.

НЕОБХОДИМОСТЬ ХОЛОДНОЙ ВОДЫ ДЛЯ КОЖИ

Холодная вода, подобно свежему чистому воздуху, является природным стимулятором без побочных эффектов. Более шестидесяти лет назад я познакомился с великим Макфэдденом, отцом и основателем движения физической культуры. Он организовал клуб круглогодичного купания «Полярный медведь», который сейчас насчитывает несколько тысяч человек. У всех, кто купается всю зиму в ледяной воде, прекрасная кожа. Для этих купальщиков нет проблем с нервами.

Я не уговариваю вас записываться в клуб «моржей», но заявляю, что когда тело привыкнет к холодной воде, то увеличится ваша нервная сила. Холодная вода — это великолепное тонизирующее средство. После того как вы вымылись, делайте воду холоднее и холоднее. Когда вы привыкнете к холодной воде, вы будете наслаждаться ею. Холодная вода имеет громадный стимулирующий эффект для нервов.

Не пользуйтесь полотенцем после душа. Делайте ручной массаж тела, пока оно мокрое. Это создает сильную нервную систему. После того как ваше тело совершенно высохло с помощью рук, вы можете взять полотенце из грубой ткани и хорошо им растереться.

Холодная вода, обсушивание с помощью рук и растирание полотенцем из грубой ткани — все это повышает тонус кожи. У вас после проведения этой процедуры появится ощущение бодрости.

ТЕПЛАЯ ВОДА ТАКЖЕ НЕОБХОДИМА ДЛЯ СОЗДАНИЯ КРЕПКОЙ НЕРВНОЙ СИЛЫ

Кроме холодных водных процедур, иногда требуются теплые или горячие. Если у человека был напряженный день с большой затратой нервной энергии, то нервы его будут как бы завязаны в узел. В этом случае нельзя применять холодное купание. Необходимо искупаться в очень горячей воде (приблизительно 40° С). Иногда хорошо успокаивает теплая ванна. Я энтузиаст купания как в горячей воде, так и в холодной.

ПЛАВАНИЕ — ВЕЛИКИЙ ТВОРЕЦ НЕРВНОЙ СИЛЫ

Плавание — наилучшее упражнение для создания нервной силы. Долго изучая атлетические виды спорта, я обнаружил, что плавание обеспечивает большие резервы нервной силы, раскрепощает ее. Если бы я был президентом США, я бы построил тысячи плавательных бассейнов, чтобы они были доступны для каждого человека.

Я призываю всех моих читателей сделать плавание частью ежедневной системы упражнений. Не говорите, пожалуйста, что боитесь воды или не умеете плавать. Можно избавиться от ваших страхов и научиться плавать под руководством опытного инструктора.

Несколько недель назад я встретил женщину 78 лет. Всю свою жизнь она боялась воды и совершенно не умела плавать. Но она приехала на Гавайи, чтобы наконец-то научиться этому, и за несколько месяцев ей это удалось. Она рассказала мне, что в течение большей части жизни страдала от нервов и бессонницы. С тех пор как она научилась плавать, ее нервозность совершенно исчезла, и она теперь спит как новорожденный.

Я призываю вас сделать плавание частью вашей жизни. Это постоянный источник удовольствия и восстановления великой нервной силы. Используйте силу воды, дающей здоровье!

ПОЛЬЗА ОТ СОЛНЕЧНЫХ ВАНН

Солнце — источник энергии. Все, что живет, дышит и растет, нуждается в энергии солнца. Человек кутает себя в одежду и в результате становится бледным, болезненным, слабым. В наши дни мы говорим, что делает человека одежда, и бедные женщины сходят с ума, пытаясь одеться по последней моде. Я понимаю, что одежда имеет большое значение в нашей культуре, но намного важнее иметь здоровое тело, которое поглощает живительные лучи.

Прямые лучи яркого солнца, попадая на обнаженное тело, дают жизненную и динамичную энергию и заряжают человека новой силой. Они — основа здоровья, счастья и долгой жизни.

Большинство людей так заражены ядовитыми отходами, что когда они подставляют свои тела лучам солнца, то кожа становится у них ярко-красной и покрывается волдырями. Помните, что солнечные лучи незримо устраняют яды из организма. Раннее утро и часы после полудня — лучшее время для солнечных ванн. Только те, чья кожа уже привыкла, могут получать жгучие инфракрасные лучи полуденного солнца. Лучи раннего утра — самые спокойные. Принимайте солнечные ванны между 7 и 11 часами. Скрывайтесь от солнца с 11 до 15 часов, пока инфракрасные лучи опасны. С 15 часов и до захода солнца — тоже благоприятное время для принятия солнечных ванн.

Эти нежгучие лучи солнца омолаживают кожу, делают ее атласной и коричневой. Солнце тонизирует изношенные нервы, освобождая от напряжения чувства. Если вы сможете сочетать дремоту с солнечными ваннами, вы поможете заполнить резервуары тела нервной силой.

Пожалуйста, не говорите мне, что вы слишком заняты и у вас нет времени для принятия солнечных ванн. У вас есть выходные дни, и вместо того чтобы запихивать в себя огромное количество еды, примите лучше солнечную ванну в течение 30 минут.

КАК ОСЛАБИТЬ НЕРВНОЕ НАПРЯЖЕНИЕ

Слово «релаксация» (расслабление) такое же емкое, как слово «любовь». Если люди говорят, что они хотят выкурить сигарету (выпить виски, чашку кофе, чая) и расслабиться, то они имеют самое слабое понятие о том, что означает это слово, так как они все говорят о стимуляторах. Как можно расслабиться, если вы пьете кофе, чай, алкоголь? Они оказывают действие, противоположное расслаблению. Они подстегивает ваши нервы мощными наркотическими стимуляторами. Вы не можете достигнуть релаксации в полном смысле этого слова. Вы можете дать человеку сильный наркотик и временно успокоить его или во многих случаях погрузить в полное оцепенение, но ничего общего с расслаблением это не имеет.

Некоторые говорят, что они поедут путешествовать, чтобы расслабиться и избавиться от нервного напряжения. Но это только слова, потому что люди берут все свои привычки с собой. Путешествие может кого-то и освежить, но не ослабит напряжения.

РЕЛАКСАЦИЯ – ЭТО ТОНКОСТЬ ВОСПРИЯТИЯ

Должно пройти много времени, прежде чем чувства начнут направлять вашу жизнь. Вы говорите себе: «Я чувствую, что я не должен ехать, хотя запланировал это». Вы слушаете свой внутренний голос и не едете. Планы разрушены, но вы полагаетесь на свои чувства. Мы часто слышим: «Я чувствую, что этот человек не любит меня» или «Вы оскорбили мое чувство». Да, мы должны иметь ощущения. И релаксация – это чувствительность. Ваши ощущения, эмоции позволяют нервам расслабиться, уничтожают напряжение и приносят успокоение, внутренние умиротворение и безмятежность.

Каждый знает, что значит чувствовать себя усталым, измученным, печальным, слабым и угнетенным. Многие люди знают, какие страдания это приносит. Чувства нервозности, слабости, усталости мы создаем нашими неправильными ежедневными привычками. Вы получаете от жизни то, что вкладываете в нее. Релаксация — это ощущение, и существует она по определенной причине. Если вы следуете программе сохранения нервных сил, то вы обладаете чувством полной релаксации. Вы должны заслужить ее, но не с помощью сигарет, алкоголя, кофе или чая.

НАПРЯЖЕНИЕ И РЕЛАКСАЦИЯ — ПУЛЬС ЖИЗНИ

Если вы живете по законам природы, вы автоматически испытываете чувство релаксации. Напряжение — это часть жизни. Когда я выхожу на кафедру читать лекцию перед пятитысячной аудиторией в течение двух часов, я нервничаю, испытываю напряжение. Жизнь — это движение, а движение требует напряжения.

У вас в грудной клетке находится чудесная мышца, которая начинает свою деятельность до рождения и работает до самой смерти — это ваше сердце. Вначале оно напрягается, затем расслабляется. Сердце подобно самой жизни, которая состоит из напряжений и расслаблений. Чтобы выполнить какую-либо задачу, мы должны напрячься. Если наши нервы здоровы и мы нормально работаем, то после окончания работы мы автоматически должны почувствовать расслабление. Это великая награда тем, кто живет по программе физического, умственного и духовного развития. Вы не можете вызвать релаксацию так же, как вы не можете изменить регулярное сокращение сердца. Релаксация — это нечто, работающее внутри вашей нервной системы. Жизнь — это взлеты и падения. Вся жизнь состоит в том, чтобы напрячься, когда это необходимо, и затем расслабиться.

Постарайтесь сделать вашу нервную систему такой крепкой, что ваше тело будет автоматически переключаться с напряжения на расслабление. Это будет ваш природный ритм жизни.

Будьте внимательны к своему телу, и оно будет здоровым. Если будете варварски относиться к нему, то оно отплатит вам ужасными постоянными нервными срывами. «Царство небесное внутри вас». Когда тело совершенно спокойно, внутри вас мир, покой и радость. Это стоит того, чтобы его добиваться.

ЗАПАСАЙТЕ НЕРВНЫЕ СИЛЫ

Когда вы поймете, что не надо бездумно тратить нервные силы, вы достигнете высшей точки своей духовной энергии. Привожу некоторые важные советы по сохранению нервной силы.

1. **Избегайте комплекса супермена.** Некоторые люди хотят слишком многого от себя. Они — последователи совершенства. Они находятся в постоянном нервном напряжении, стремясь сделать невозможное. Я верю в совершенство, но не ценой нервного истощения. Один человек не может сделать всего. Делайте то, что можете сделать лучше всего. Жизнь станет длиннее, здоровее и счастливее.

2. **Говорите о том, что вас беспокоит. Не замыкайтесь в себе.** Если вы испытываете справедливое, по вашему мнению, недовольство кем-то, подойдите к этому человеку и спокойно выясните все. Очень часто это оказывается недоразумением. Сделайте это правилом в человеческих отношениях — с вашими детьми, товарищами, родственниками или сотрудниками. Как много мужей и жен, родителей и детей копят недовольство внутри себя до тех пор, пока уже не могут общаться друг с другом. Они строят каменную стену вокруг себя, и это может привести к нервному срыву. В это время надо довериться кому-либо — хорошему другу, доктору или священнику. Такой разговор поможет вам увидеть дело в новом свете и найти решение.

3. **Контролируйте свое настроение. Настроение** — слишком хорошая вещь, чтобы терять его. Под контролем ваше настроение становится силой, которая может привести вас к намеченной цели. Выйдя из-под контроля, настроение может причинить неприятности вам и окружающим. Когда вы гневаетесь, вы действительно теряете ценную нервную силу.

Когда вы чувствуете, что сердитесь, начинайте считать. Ничего не говорите, потому что будете об этом жалеть. Займитесь сразу какой-нибудь физической деятельностью. Лучший способ охладить гнев — предпринять энергичную прогулку на свежем воздухе. Уйдите от человека или ситуации, которые привели вас в такое состояние. Не пытайтесь высказать им «все», вы потеряете при этом нервную силу. Плавайте, занимайтесь садоводством или домашней работой, любой физической работой или упражнениями — это поможет исправить настроение и использовать по назначению нервную силу. Не применяйте физической силы, когда появляется гнев. Держите свое настроение под контролем все время!

ИЗБЕГАЙТЕ ССОР

Тысячи убийств, бесконечные ненависть и горечь появляются в результате возбужденных споров, которые начинаются в обычной дружеской беседе. Дискуссии и аргументы оттачивают ум и часто очень полезны. Однако очень мало людей могут спорить по-дружески, не возбуждаясь. Мой совет людям, которые стремятся запасти нервную силу,— избегайте возбужденных споров. Я знаю сотни случаев нервных расстройств, которые происходили из-за ссор.

Самое неблагоприятное время для споров — время еды. Спор во время еды может привести к язве желудка. Когда человек чувствует, что спор накалился, он должен прекратить его немедленно. Нужно следовать простому принципу: «Вы, может быть, и правы, но я не буду спорить с вами сейчас».

Не ссорьтесь, не дразните других и не позволяйте, чтобы вас дразнили. Избегайте людей, которые прибегают к таким формам общения. Если вы позволили себе быть для кого-то козлом отпущения, то этот человек будет продолжать мучить вас. Но если вы проигнорировали его замечание или молча ушли, он оставит вас в покое. Так же, как не смешивается вода с маслом, так есть люди, которые не находят общих точек соприкосновения. Не каждый, с кем вы контактируете, ведет себя так же, как вы, соглашается с вашими идеями и точкой зрения. В личной жизни я стараюсь избегать людей, которые раздражают меня. Не надо ненавидеть этих людей, этим вы только расстраиваете себя. Просто находитесь подальше от них. И если придется быть в их компании, разговаривайте с ними как можно меньше.

УЛЫБАЙТЕСЬ!

Есть старая поговорка: «Если ты смеешься, то весь мир смеется с тобой. Если ты плачешь, то плачешь один». Смех — это в определенном смысле упражнение, которое создает нормальную циркуляцию в области брюшной полости. Смех как результат счастливого душевного состояния того, кто смеется, создает здоровье.

Сделайте сердитое лицо, и вас захватит дурное настроение, и будете готовы воспринимать любую самую ничтожную обиду, настоящую или вымышленную. Подобное душевное состояние подавляет нервы, которые, в свою очередь, парализуют сердце и легкие. Смех создает противоположный эффект.

ВНУТРЕННЯЯ УЛЫБКА

Проведите такой эксперимент. Прекратите чтение и улыбнитесь. Вы внутренне почувствуете необъяснимое счастье, а если сделаете сердитое лицо, то почувствуете, что вы действительно сердитесь. Если бы я поместил у вас на запястье прибор и сделал запись сердечных пульсаций, то запись показала бы определенную депрессию вашей сердечной деятельности, удостоверяя, что ваше насильно вызванное дурное настроение создает немедленный ответ во всех внутренних органах.

Так улыбайтесь же! Улыбайтесь, когда вы читаете, когда вы спокойны и отдыхаете, когда вы сердитесь или ссоритесь. В конце концов, улыбка будет давать вам чувство счастья.

Читайте хорошие книги. Существует так много жизнерадостных, остроумных книг. Выбирайте радио- и телепрограммы, которые заставят вас смеяться. Держитесь подальше от людей, у которых мрачное настроение, унылое выражение лица. Вот почему я люблю компанию детей и подростков — они смеются. Я люблю быть среди людей с хорошим чувством юмора. Мне нравятся люди, которые не ведут себя слишком серьезно, которые молоды сердцем, не считаясь со своими календарными годами. Эмоции заразительны. Будьте окружены людьми, которые чувствуют себя счастливыми, и вы будете так же счастливы. Улыбайтесь, и вы получите в ответ улыбку.

СНИМИТЕ С ПЛЕЧ ЗАБОТЫ

Не будьте слишком чувствительны. Если с вами резко поговорили — забудьте об этом. Не делайте из этого большой проблемы и не тратьте нервные силы для обсуждения этого эпизода. Немалое число людей душевно больны. Вы не должны опускаться до их уровня. «Несчастье любит компанию», — говорят они. Не верьте им! Избегайте их!

Пусть другие ненавидят, завидуют, подозревают и живут не в ладу с собой! Только не вы! Будьте достаточно умны, чтобы не позволить этому яду сделать вас больным. И ради бога, не ищите в людях совершенства. Попытайтесь видеть в людях хорошее. Вспомните маленькую присказку:

> Даже в самом плохом из нас так много хорошего,
> И так много плохого в лучшем из нас,
> Что трудно выделить кого-либо.

УЧИТЕСЬ ЖИТЬ С САМИМ СОБОЙ

Помните, что вы приходите в этот мир один и уйдете один. Замечательно, если имеешь хорошую семью и верных друзей, но, кроме этого, вы должны научиться жить с самим собой. Не будьте слишком откровенны с кем-либо, так как «близкие отношения рождают презрение». Поддерживайте личное благородство даже с самим собой.

Вы должны быть хорошей компанией для себя. Я никогда не надоедал себе. Я долгое время был один, стал лучше понимать себя и после этого научился понимать людей. Будьте здоровы и счастливы. Если вы будете следовать программе создания мощной нервной силы, вы сумеете быть занятым. У вас день будет заполнен элементами программы натуральной жизни: созерцанием, пешими прогулками, упражнениями, глубоким дыханием, приемом ценной пищи, чтением новых поучительных книг.

Занятый человек — счастливый человек. У вас нет времени на ссоры. Жизнь становится большим приключением. Наслаждайтесь каждой ее минутой. У вас 24 великолепных часа в сутки. Ни один не получит больше — ни король, ни королева, ни мультимиллионер. Так живите каждый день так, будто он у вас последний. Считайте каждую минуту. Время слишком драгоценно, чтобы убивать его в праздности.

СЧАСТЛИВЫЙ СЛУЧАЙ ПОЖИТЬ

Это ваша жизнь. Вам дали счастливый случай, и вы должны им воспользоваться.

Как сказал Хагемеан: «Я живу один раз. И если существует доброта или что-нибудь хорошее, позвольте я сделаю это сейчас, не откладывая, так как я не буду проходить этот путь еще раз».

Мы должны сделать нашу повседневную жизнь примером здоровья и счастья. Это поможет другим следовать той же дорогой сияющего счастья и здоровья. Такая жизнь — двойное благодеяние: для себя и другого человека.

УЧИТЕСЬ ДЕРЖАТЬ ЯЗЫК ЗА ЗУБАМИ

Если вы хотите вдохновить других, то вы должны иметь мощную нервную силу. И надо знать, когда можно говорить, когда нельзя. «Чем меньше человек думает, тем больше он говорит», — сказал Монтескье. Сплетни и праздная болтовня — это трата нервной энергии. Когда я был маленьким, я однажды пришел домой и начал рассказывать матери то, что услышал о нашей семье от соседей. Она усадила меня и сказала: «Пол, я хочу научить тебя одному правилу, которым ты будешь дорожить всю свою жизнь. Никогда никому ничего не говори о других, не сплетничай. Говори себе: „Хорошо ли это? Правда ли это? Необходимо ли это?"»

Этот урок, который мать преподала мне много лет назад, помог мне стать миллиардером. Мое богатство не измеряется в деньгах. У меня были замечательные друзья, мужчины и женщины, такие близкие и дорогие, как братья и сестры.

> Есть замечательная приправа ко всем наслаждениям — благодарность тех, кого мы любим.
>
> *Мольер*

ИСКУССТВО МЫСЛЕННОЙ ЗАМЕНЫ

Моя мать была мудрой и благородной женщиной, и свою философию она передала мне. Именно она научила меня мысленным заменам. Моим постоянным товарищем был небольшой пес по кличке Вилбур, которого я очень любил. Его убили. Я пришел к матери со своим горем. Когда я рыдал у нее на руках, она рассказала мне, как победить боль потери мысленной заменой. Вместо того чтобы плакать над собакой, она посоветовала мне изменить направление мыслей и думать о тех счастливых временах, когда все было в цвету и Вилбур охотился на кроликов, которые всегда оставляли его в дураках. После того как я представил все это, я начал смеяться сквозь слезы, вспоминая выражение сбитого с толку Вилбура, когда кролик ускользал. Я начал рассказывать матери о других его проделках, а она улыбалась в ответ. С тех пор когда бы я ни думал о собаке, я автоматически заменял чувство потери счастьем воспоминаний.

Под руководством матери я применял эту здоровую замену мыслей к другим детским печалям. Замена печальных мыслей счастливыми стала духовной привычкой, которая спасла меня от многих нервных срывов в течение долгих лет жизни.

Потеря очень близкого человека — одно из величайших потрясений. Может наступить такая депрессия, что это приведет к смерти. Несмотря на мою философию и замечательный запас жизненных сил, я здорово похудел за несколько дней от горя, а мои внутренние органы — особенно сердце и легкие — были так угнетены, что было даже трудно дышать. Я знаю, как трудно взять под контроль подобное состояние. Но это все же можно сделать с помощью внутренней мысленной замены. Силой воли мы можем отбросить несчастливые, горестные мысли и заменить их счастливыми воспоминаниями. Печаль — это огромная трата нервной силы. Слезы не могут устранить причину горя, такая бесполезная трата нервной энергии может быть остановлена мысленной заменой. Пусть же созидательные, счастливые мысли займут ваш ум.

И все опять приходит к царству небесному в вас самих. В ваших силах сделать ваше царство замечательным местом, полным вдохновения.

> Человеческий ум таков, что он может и ад сделать небесным и небеса адом.
>
> *Мильтон. «Потерянный рай»*

НЕ ЗАНИМАЙТЕСЬ САМОИСТЯЗАНИЕМ

Избавляйтесь от горя и других эмоциональных потрясений тем, что не думайте об этом. Поверните ваши мысли в другом направлении. Не создавайте болезненную привычку находить удовольствие в истязании горем. Я внимательно изучал людей, у которых было горе, и почти в каждом случае обнаруживал, что они просто занимались самоистязанием, так же как некоторые фанатичные религиозные секты находят мазохистское удовольствие самоистязать себя огнем, плетьми и другими способами.

Не поощряйте тех, кто страдает от горя, проявлением вашей симпатии. Говорите с ними здраво и рассудительно. Если у вас горе, не слушайте тех, кто проявляет к вам сочувствие. Вы, и только вы сами, должны преодолеть это горе. Мысленная замена и ясное, неэмоциональное мышление — ваше оружие. Жизнь — это долина слез. Горе и печаль — часть жизни. Мы должны контролировать наши эмоции, не позволяя эмоциям контролировать нас.

ПУСТИТЕ БЕСПОКОЙСТВО ПО ВЕТРУ

Беспокойство может разрушить вас, если оно будет преобладать. Беспокойство, подобно горю, сильно преувеличивается многими людьми. Они так раздувают свои тревоги, что их можно пожалеть. Правда, беспокойство часто неизбежно, особенно когда это касается неприятностей в делах, потери любви, бедности и т. д. Но и здесь мы должны сохранять ясный ум и здравый смысл. Беспокойство ничему не поможет. Наоборот, чем больше мы беспокоимся, тем больше напряжение наших нервных сил и соответственно их будет меньше для преодоления трудностей. Мы должны быть оптимистами. Оптимист всегда достигает цели, пессимист — никогда.

Миллионы людей беспокоятся по пустякам, часто от чрезмерного тщеславия, ложной гордости, самомнения. Например, они беспокоятся, когда находят несколько седых волос у себя. Женщины часто волнуются о том, что о них подумают другие. Это подрывает их здоровье, дает преждевременные морщины и делает их характер раздражительным.

Много беспокойства сейчас причиняют дети, особенно подростки, которые становятся жертвами стадной психологии, думая, что они должны делать все то, что делают их приятели. Если у вас есть подростки, то ваш долг научить их думать о себе, научить тому, что если «стадо» делает глупости, то нет никаких причин им делать то же самое. Большинство взрослых не могут найти общего языка с подростками, но это необходимо, если вы хотите помочь им пройти через этот трудный период жизни. Мир подростков сегодня жесток и распущен, и вы должны направить их на верный путь в жизни. Беспокойство не сделает этого. Так пустите же по ветру ваше беспокойство, и пусть этот ветер очистит ваши мысли.

БУДЬТЕ ВСЕГДА В ХОРОШЕМ НАСТРОЕНИИ

Бодрость некоторых людей зависит от погоды. Когда ярко сияет солнце, у них хорошее настроение. Когда погода плохая, они печальны. В плохую погоду самоубийств больше, чем в хорошую. Попытайтесь лечиться улыбкой. Научитесь любить дождь, когда он идет, темноту и жару, когда они есть.

> Не ворчите и не жалуйтесь,
> Когда так дешево и легко радоваться.
> Когда бог выбирает погоду и посылает дождь,
> Считайте, что его выбрали вы.
>
> *Рилей. «Я пою в дождь»*

(Одна из моих самых любимых вещей.)

Когда вы здоровы и счастливы, погода не беспокоит вас. Ваше настроение не подвержено барометру. Вы сами светитесь изнутри.

МОЕ ПОСЛЕДНЕЕ ВАМ НАСТАВЛЕНИЕ

Вы можете создать запас огромной динамической энергии и жизнеспособности, и ничто не сможет остановить вас — кроме вас самих. Жизнь течет через ваши нервы, и у вас есть воля, чтобы создать большое количество нервной силы, но для этого вы должны работать. Это не может быть куплено. Вы должны заработать все хорошее в жизни. Все в жизни имеет цену. Что вы вложите в программу создания нервной силы, то и получите — ни больше ни меньше. В программе нет ничего сложного. Это простой и естественный путь жизни. Следуйте ему, и возраст вам не страшен.

НЕТ ВОЛШЕБНЫХ ЛЕКАРСТВ

Не существует лекарства, которое создало бы нервную силу. Все искусственные стимуляторы — кофе, чай, табак, кола, алкоголь и наркотики — разрушают ваши нервные силы. Есть наркотики, которые ускоряют нервные процессы, и есть наркотики, которые ошеломляют нервы, делая их неуправляемыми. Я считаю недобросовестными врачей, которые прописывают подобные лекарства, кроме тех случаев, когда абсолютно необходимо вывести пациента из кризиса.

Нет волшебных лекарств для людей, которые истощили свои нервные силы. Массажи, различные ванны и т. д. — ценны, но они имеют только местное значение и никогда не влияют на основу нервной и функциональной слабости. Чтобы иметь мощные нервные силы, вы должны работать над этим каждый день в течение всей своей жизни.

НЕ ОТКЛАДЫВАЙТЕ ВЫПОЛНЕНИЕ ПРОГРАММЫ СОЗДАНИЯ НЕРВНОЙ СИЛЫ

Так начинайте же сегодня, сейчас выполнение программы, представленной в этой книге. Назовем главные ее пункты.

1. Прекратите чрезмерные нервные траты. Созерцаниями и ясностью ума избавьтесь от беспокойства, страхов, отрицательных эмоций, которые истощают вашу нервную

энергию. Противопоставьте всем этим отвлекающим обстоятельствам ясную цель и уверенность, что вы можете достичь ее.

2. 8 часов глубокого ночного сна. И по возможности найдите время подремать после полудня.

3. Примите программу питания, которая сделает вас чистым и здоровым. Не употребляйте безжизненную пищу и питье, соль, а также искусственные стимуляторы — такие, как кофе, чай, кола, очищенный белый сахар и т. д. Ешьте преимущественно фрукты и овощи, сырые и правильно приготовленные. 24-часовое голодание каждую неделю, только с водой, лимонным соком и медом. Правильно проведенное 10-дневное голодание в различное время года избавляет ваш организм от ядов.

4. Ежедневно упражняйте свое тело. Совершайте прогулки на свежем воздухе быстрым и медленным шагом, стимулируя циркуляцию. Плавайте, танцуйте, играйте в подвижные игры. Заставляйте все 600 мускулов вашего тела действовать.

5. Дышите глубоко. Направьте жизненно необходимый кислород в нижнюю часть легких. Кислород — самый большой нервный стимулятор. Сырые фрукты и овощи в вашей диете наполнены кислородом, а ваши очищающие голодания увеличивают объем кислорода в вашем теле. С помощью глубокого дыхания вы очистите кровь от ядовитого углекислого газа и наполните каждую клетку тела кислородом.

6. Ежедневные водные процедуры в теплой и холодной воде. Солнечные ванны.

7. Держите свои эмоции под контролем. Не напрягайте ваши нервы, хотя это достаточно трудно.

8. Расслабляйте ваши нервы. Естественный ритм жизни — это напряжение, а затем расслабление, подобно сердцебиению. После напряженного действия вы должны автоматически расслабляться.

9. Наслаждайтесь жизнью. Не забывайте развлекаться. Успех, материальная обеспеченность — это хорошо. Но самое лучшее — это наслаждение жизнью. Пойте и танцуйте, свистите и напевайте про себя. Держитесь подальше от тех, кто сеет печаль и раздоры. Старый мир — это сумасшедший дом. Делайте все, чтобы он стал лучше.

Дай нам, Боже, немного солнца,
Немного заботы и немного развлечений.
Дай нам заработанный в борьбе
Наш ежедневный черный хлеб и немного масла.
Дай нам здоровья и пощады.
Дай нам также немного песен, и сказку, и книгу.
Дай нам, Боже, возможность
Стать лучше для себя и для других,
Пока все люди не научатся жить, как братья.

Старая английская молитва

БУДЬТЕ ПРАКТИЧЕСКИМ ИДЕАЛИСТОМ

Как я уже говорил, я считаю советы и учения «идеалистов» и психологов очень непрактичными. Я не верю, что все психические проблемы могут быть решены на этом уровне. Если вы едите пищу с недостатком витамина В-комплекса и кальция, то никакие психологические положения не дадут нервного питания телу. Они не смогут вывести яды из организма и дать нервной системе больше кислорода.

Мы — это мозг и тело. Но мы должны знать слабости нашего тела, так как они часто влияют на наше душевное состояние, как и физические болезни.

Я очень верю в созерцание, но без параллельной программы физической культуры оно ничего не значит. Я верю, что блаженство сознания приходит, когда мы работаем физически, духовно и умственно.

СИЛЬНЫЙ УМ В СИЛЬНОМ ТЕЛЕ

Чтобы жить в этом безумном мире, вы должны иметь полный контроль над собой. С сильным умом в сильном теле вы можете сделать все. Если вы будете следовать этой программе создания мощной нервной силы, вы никогда не выйдете из равновесия. Вы сможете наслаждаться высочайшим состоянием человека на Земле — блаженством духа: миром ума, миром в теле, счастьем, безмятежностью, радостью жизни.

СОДЕРЖАНИЕ

СЕРДЦЕ

Моя деловая жизнь 4
Самый замечательный механизм в мире — это ваше тело 5
Дайте возможность этой машине работать эффективно 6
Причина сердечных приступов 6
Как восстановить свое здоровье 9
Лучше предупредить болезнь, чем потом лечить ее . . 9
Сердечный приступ — убийца № 1 10
Здоровье — это ваше богатство 11
Одно сердце, одна жизнь 11
Сердце и кровеносная система 12
Сердце — это мышца 13
Что такое нормальный уровень холестерина в крови . . 24
Жизнь зависит от пищи, которую мы едим 32
Кровь — это река жизни 32
Вы можете контролировать свои биологические «часы
    жизни» 33
Широкий путь к крепкому здоровью 34
Основные три условия для сохранения здорового серд-
    ца и продолжительной жизни 37
Остерегайтесь избыточного веса 38
Ежедневные упражнения для сохранения сильного
    сердца 41
Секрет сильного сердца — хорошее кровообращение . 47
Пять упражнений для ускорения кровообращения . . 47
Опасности неподвижного образа жизни 52
В здоровом теле здоровый дух 55
Вы то, что вы едите 56
Голодание — это отдых для сердца 84
Крепкий сон — залог сильного сердца 87
Программа здорового сердца 90
Мои жизненные принципы 99
Человек и природа 99
Искусство долгой жизни 101
Сердечно-сосудистые заболевания — это самая большая
    угроза 102
Учиться никогда не поздно 107

Предотвратите заболевания сердца 108
Будьте молоды в любом возрасте 109
Теперь беритесь за работу 111

ПОСТРОЕНИЕ МОЩНОЙ НЕРВНОЙ СИЛЫ

Секрет нервной силы 115
Живите так, как требует этого природа 121
Вы должны создать свою собственную нервную силу . . 122
Сильный ум в сильном теле 126
Нервная система 128
Три формы нервной силы 129
Равновесие нервной системы 130
Физическое изнашивание 132
Нарушение обмена веществ 133
Расстройство солнечного сплетения 133
«Нервное» несварение желудка 134
Запор 134
Питайте ваши нервы, не подстегивая их 135
Душевные расстройства 136
Развитие неврастении 136
«Небольшое истощение» 138
Шесть основных страхов 138
Созерцание — первый шаг в создании крепкой нервной
    системы 146
Сон — второй шаг в создании крепких нервных сил . . . 151
Натуральная пища — третий шаг в создании мощной нерв-
    ной силы 156
Упражнения — четвертый шаг в создании мощной нерв-
    ной силы 167
Правильное дыхание — пятый шаг в создании нервной силы 170
Водные процедуры — шестой шаг в создании мощной нерв-
    ной силы 173
Польза от солнечных ванн 176
Как ослабить нервное напряжение 177
Запасайте нервные силы 179
Мое последнее вам наставление 187
Не откладывайте выполнение программы создания нерв-
    ной силы 187

Фирма «ДИЛЯ»

приглашает к сотрудничеству книготорговые организации,
а также на конкурсной основе авторов и правообладателей.

Санкт-Петербург: тел./факс (812) 378-39-29
Москва: тел. (495) 261-73-96

198095, Россия, СПб., Митрофаньевское ш., д. 18 лит. «Ж»
www.dilya.ru
E-mail: spb@dilya.ru *(Санкт-Петербург)*
mos@dilya.ru *(Москва)*

Уважаемые читатели!
Книги «Издательства «ДИЛЯ» вы можете приобрести
наложенным платежом, прислав вашу заявку по адресам:

190000, СПб., а/я 333, «Невский Почтовый Дом», тел. (812) 434-91-39
E-mail: nevpost@yandex.ru
почтовый каталог книг «Издательства «ДИЛЯ» высылается бесплатно,
а также:
192236, СПб., а/я 300 ООО «Ареал», тел. (812) 774-40-63
E-mail: postbook@areal.com.ru

Просьба не забывать указывать свой почтовый адрес, фамилию и имя.

Поль С. Брэгг

СЕРДЦЕ
ПОСТРОЕНИЕ
МОЩНОЙ НЕРВНОЙ СИСТЕМЫ

Серия: «Здоровье и долголетие»

ИД № 06073 от 19.10.01

Подписано в печать 27.10.06. Гарнитура PeterburgC
Формат 84x108 $^1/_{32}$. Усл. печ. л. 10,08. Печать офсетная.
Доп. тираж 4000 экз. Заказ № 558

ООО «Издательство «ДИЛЯ»
198095, Санкт-Петербург, Митрофаньевское ш., д. 18 лит. «Ж».

Отпечатано с готовых диапозитивов в ОАО «Лениздат»
191023, Санкт-Петербург, наб. р. Фонтанки, 59